Jeden roczek życ
minął jak sztrzateczka,
Tyle serc Cię kocha;
jeszcze nie wiesz o tym.
Dzieciątko malutkie
żwawo chodzi sobie.
Bogu składam dzięki
za zdrowie Twoje.

„Juljanku" urodzinki i Imieninki
w jednym dniu obchodzisz,
My Ci też życzymy
szczęśliwego życia
przy dobrych rodzicach

prababcia   Sabina
pradziadek   Stefan
aż łożem   przybyli
by świętować z Tobą
pierwsze „Urodzinki"
„Kochamy"

Kochanego Prawnuka
19 II 2009 r.

BAJKI

NASZEGO DZIECIŃSTWA

BAJKI

NASZEGO DZIECIŃSTWA

Wybór i opracowanie: Anna SKOCZEK

Ilustracje: Barbara PALUCHOWA

Projekt okładki: Konrad KUCHARCZYK

Redakcja: Piotr SKOCZEK

WYŁĄCZNI DYSTRYBUTORZY:

P.H.W. "FENIX"
Wierzchy Parzeńskie 4
97-415 Kluki
tel/fax. 044 634 86 26
e-mail: fenix_hurtownia@o2.pl
www.fenixksiazki.pl

F.H.U. "GENESIS"
ul. Botaniczna 28
42-200 Częstochowa
tel/fax. 034 36 33 919
e-mail: genesis75@wp.pl

F.W.H.U. "SIGMA"
ul. Asłanowicza 18
08-110 Siedlce
tel. 025 632 44 38, tel/fax. 025 632 54 45
e-mail: biuro@sigma24.pl
www.sigma24.pl, www.drukdtp.pl

ISBN: 978-83-88520-55-6

Spis treści

Opowiem Ci bajkę

Poczytaj mi Mamo

Opowiem ci bajkę

Opowiem ci bajkę

(utwór anonimowy)

Opowiem ci bajkę
Jak kot palił fajkę
A kocica papierosa
Upaliła kawał nosa

Prędko, prędko po doktora
Bo kocica bardzo chora
Jedzie doktor z zastrzykami
A kocica z pazurami.

Kosi, kosi łapci

(utwór anonimowy)

Kosi, kosi łapci, pojedziem do babci,
babcia da nam kaszki, a dziadzio okraszki.

Kosi, kosi łapci, pojedziem do babci,
babcia da pierożka i tabaczki z rożka.

Kosi, kosi łapci, pojedziem do babci,
od babci do cioci, ciocia da łakoci.

Kosi, kosi łapci, pojedziem do babci,
od babci do mamy, mama da śmietany.

Kosi, kosi łapci, pojedziem do babci,
od babci do taty, jest tam pies kudłaty.

Sroczka kaszkę warzyła

(utwór anonimowy)

Sroczka kaszkę warzyła,
dzieci swoje karmiła:

Pierwszemu dała na miseczce,
drugiemu dała na łyżeczce,
trzeciemu dała w garnuszeczku,
czwartemu dała w dzbanuszeczku,
a piątemu łeb urwała
i frrrrrrr....... do lasu poleciała.

A–a kotki dwa...

(utwór anonimowy)

A–a, kotki dwa, szare, bure obydwa.
Jeden duży, drugi mały, oba mi się spodobały.

A–a, kotki dwa, szare, bure obydwa,
nic nie będą robiły, tylko Zbysia bawiły.

A–a, kotki dwa, szare, bure obydwa,
jeden pobiegł do lasu, narobił tam hałasu.
Drugi biegał po dachu, zgubił butki ze strachu.

A–a, kotki dwa, szare, bure obydwa,
chodzą sobie po sieni, miauczą głośno – „pieczeni!"

A–a, kotki dwa, szare, bure obydwa,
biega szary, biega bury, aż obydwa czmych do dziury.

Tańcowały dwa Michały

(utwór anonimowy) *

Tańcowały dwa Michały,
Jeden duży, drugi mały,
Jak ten duży zaczął krążyć,
To malutki nie mógł zdążyć.

Tańcowały dwa Michały,
Jeden duży, drugi mały,
Tak tańcują dookoła,
Aż im pot się leje z czoła.

Tańcowała ryba z rakiem,
A pietruszka z pasternakiem;
Cebula się dziwowała,
Że pietruszka tańcowała.

Tańcowała śliwka z banią,
Grochowianka z miotłą za nią!
A pogrzebacz się dziwuje,
Że i miotła też tańcuje.

---

* *Autorką trzech ostatnich, mniej znanych zwrotek jest Zofia Rogoszówna.*

Coś tam w lesie stuknęło

(utwór anonimowy)

Coś tam w lesie stuknęło,
coś tam w lesie gruchnęło.
A to komar z dębu spadł,
i połamał sobie gnat.

Potłukł sobie i głowę
o konary dębowe,
potłukł sobie i ciemię,
gdy tak gruchnął o ziemię.

Mucha z brzękiem leciała
i komara pytała,
czy nie trzeba doktora
albo księdza z klasztora.

– Nie trzeba mi doktora
ani księdza przeora,
nie potrzeba apteki,
tylko rydla, motyki!

Zleciało się wilków sześć
komarowe ciało grześć;

wykopały dół w piasku,
narobiły tam wrzasku.

Wszystkie muchy płakały,
gdy komara chowały,
ucierały swe nosy,
zawodziły w niebiosy

i śpiewały: „Rekwije,
już nasz komar nie żyje!".

Miała babuleńka

(utwór anonimowy)

Miała babuleńka syna jedynaka
Zginął na wojence, ot – już dola taka
Zginął na wojence, rośnie na nim kwiecie
Biedna babuleńka sama jest na świecie
Sama łąkę kosi
Sama siano nosi
Co dzień o zdróweczko
Pana Boga prosi.

Wlazł kotek na płotek

(utwór anonimowy)

Wlazł kotek na płotek
i mruga.
Piękna to piosenka,
niedługa.

Niedługa, niekrótka,
lecz w sam raz,
a ty mi Halusiu
buzi dasz!

Mam trzy latka

(utwór anonimowy)

Mam trzy latka, trzy i pół
Sięgam brodą ponad stół
Mam fartuszek z muchomorkiem
Do przedszkola chodzę z workiem
Umiem wierszyk o koteczku
O prawdziwym koziołeczku
I o piesku co był w polu
Nauczyłem się w przedszkolu.

Grzeczne dziecko

(utwór anonimowy)

Grzeczne dziecko gdy wstanie
Nie pyta o śniadanie
Tylko rączki umyje, buzię, uszka i szyję
I uczesze się pięknie
Do paciorka uklęknie
Trzyma rączki złożone
I na żadną się stronę
Nie obraca, nie kręci,
Bo ma zawsze w pamięci
Że Pan Jezus jest wszędzie
I za złe karał będzie.

Poszła żabka po wodę

(utwór anonimowy)

Poszła żabka po wodę
Do zimnego zdroju
Za nią bocian rach ciach ciach
Nie dał jej spokoju.

Powiedz żabko gdzie mieszkasz
To cię odprowadzę
W twoim ogródeczku
Białą różę wsadzę.

Gdy ta róża urośnie
Z niej bukiecik będzie
Ja się z tobą ożenię
I dobrze nam będzie.

Tum dum tum dum tum dała
I muzyczka grała
Bocian żabkę odleciał
I żabka płakała.

Nie płacz żabko, nie płacz
Bo bocian przyleci
I ci na pamiątkę
Gwiazdeczkę zaświeci.

Ignacy Krasicki

Przyjaciele

Zajączek jeden młody,
Korzystając z swobody,
Pasł się trawką, ziółkami w polu i ogrodzie,
Z każdym w zgodzie.
A że był bardzo grzeczny, rozkoszny i miły,
Bardzo go inne zwierzęta lubiły.
I on też używając wszystkiego z weselem,
Wszystkich był przyjacielem.
Raz gdy wyszedł w świtanie i bujał po łące,
Słyszy przerażające
Głosy trąb, psów szczekanie, trzask wielki po lesie.
Stanął – słucha – dziwuje się...
A gdy się coraz zbliżał ów hałas, wrzask srogi,
Zając w nogi.
Spojrzy się poza siebie: aż dwa psy i strzelce!
Strwożon wielce,
Przecież wypadł na drogę, od psów się oddalił.
Spotkał konia, prosi go, iżby się użalił:
„Weź mnie na grzbiet i unieś!" – Koń na to: „Nie mogę,
Ale od innych pewną będziesz miał załogę".
Jakoż wół się nadarzył. – „Ratuj, przyjacielu!"
Wół na to: „Takich jak ja zapewne niewielu
Znajdziesz, ale poczekaj i ukryj się w trawie.
Jałowica mnie czeka, niedługo zabawię.
A tymczasem masz kozła, to ci dopomoże".

Kozioł: „Żal mi cię, nieboże,
Ale ci grzbietu nie dam: twardy, nie dogodzi;
Oto wełniasta owca niedaleko chodzi,
Będzie ci miękko siedzieć..." Owca rzecze:
„Ja nie przeczę,
Ale choć cię uniosę pomiędzy manowce,
Psy dogonią i zjedzą zająca i owcę;
Udaj się do cielęcia, które się tu pasie".
„Jak ja ciebie mam wziąć na się,
Kiedy starsi nie wzięli" – cielę na to rzekło
I uciekło.
Gdy więc wszystkie sposoby ratunku upadły,
Wśród serdecznych przyjaciół psy zająca zjadły.

Jean de La Fontaine

Kruk i lis

Bywa często zwiedzionym,
Kto lubi być chwalonym.
Kruk miał w pysku ser ogromny;
Lis, niby skromny,
Przyszedł do niego i rzekł: „Miły bracie,
Nie mogę się nacieszyć, kiedy patrzę na cię!
Cóż to za oczy!
Ich blask aż mroczy!
Czyż można dostać
Takową postać?
A pióra jakie!
Szklniące, jednakie.
A jeśli nie jestem w błędzie,
Pewnie i głos śliczny będzie".
Więc kruk w kantaty; skoro pysk rozdziawił,
Ser wypadł, lis go porwał i kruka zostawił.

(tłum: Ignacy Krasicki)

Jean de La Fontaine

Czapla, ryby i rak

Czapla stara, jak to bywa,
Trochę ślepa, trochę krzywa,
Gdy już ryb łowić nie mogła,
Na taki się koncept wzmogła.
Rzekła rybom: „Wy nie wiecie,
A tu o was idzie przecie".
Więc wiedzieć chciały,
Czego się obawiać miały.
„Wczora
Z wieczora
Wysłuchałam, jak rybacy
Rozmawiali: »Wiele pracy
Łowić wędką lub więcierzem;
Spuśćmy staw, wszystkie zabierzem.
Nie będą mieć otuchy,
Skoro staw będzie suchy«.
Ryby w płacz, a czapla na to:
„Boleję nad waszą stratą;
Lecz można złemu zaradzić
I gdzie indziej was osadzić.
Jest tu drugi staw blisko,
Tam obierzcie siedlisko.
Chociaż pierwszy wysuszą,
Z drugiego was nie ruszą".
„Więc nas przenieś" – rzekły ryby.

Wzdrygała się czapla niby;
Dała się na koniec użyć,
Zaczęła służyć.
Brała jedną po drugiej w pysk, niby nieść mając
I tak pomału zjadając;
Zachciało się na koniec skosztować i raki.
Jeden z nich widząc, iż go czapla niesie w krzaki,
Postrzegł zdradę, o zemstę zaraz się pokusił;
Tak dobrze za kark ujął, iż czaplę udusił.
Padła nieżywa:
Tak zdrajcom bywa.

(tłum: Ignacy Krasicki)

Jean de La Fontaine

Żółw i zając

Chyży, wysmukły i zwrotny zając
Napotkał żółwia jakoś przebiegając.
„Jak się masz, moja ty skorupo! – rzecze. –
Gdzie to się waszmość tak pomału wlecze?
Mój Boże! Cóż to za układ natury!
Mnie w biegu i sam wiatr nie upędzi,
Żółw na godzinę, w swym chodzie ponury,
Ledwo upełznie trzy piędzi".
„Hola! – odpowie. – Mój ty wiatronogi,
Umiem ja chodzić i odbywam drogi:
Mogę i ciebie ubiec do celu".
Rozśmiał się zając: „Ha, mój przyjacielu,
Jeśli jest wola, ot, cel tej ochocie
Niech będzie przy owym płocie!"
To rzekł i rącze posunąwszy skoki
Stanął w pół drogi. Obejrzy się, a tam
Żółw ledwo ruszył trzy kroki.
„I na cóż – rzecze – ja wiatry zamiatam?
Nim on dopełznie, tak siebie suwając,
Sto razy wyśpi się zając".
Tu swoje słuchy przymusnął,
Legnie pod miedzą – i usnął.
Żółw, gdy powoli krok za krokiem niesie,
Stawa na koniec w zamierzonym kresie.
Ocknie się zając – w czas właśnie!

Darmo się rzucił do prędkiego lotu,
Bo ten, co idąc, w pół drogi nie zaśnie,
„A kto z nas – mówi – pierwszy u płotu?"

(tłum: Franciszek Kniaźnin)

Jean de La Fontaine

Bocian i lis

Nie wiem, z jakowej przyczyny
Bocian do lisa przybył w odwiedziny.
Lis skąpiec właśnie siedział przy obiedzie.

„Oto gość! – chytrze powiada. –
W porę przychodzisz, sąsiedzie;
Możeś głodny? Czym chata bogata, tym rada".
To rzekłszy, leje na płaskie talerze
Rzadką polewkę i gościa częstuje.
Ale bocian na próżno do jadła się bierze
I w swój talerz, jak dzięcioł, długim dziobem kuje:
Nie wykuł ani kropli. Lis złopie co siły,
Żałując, że gość luby nie ma apetytu.
„Nie głodnym – rzecze bocian – lecz, sąsiedzie miły,
Jutro, jeżeli łaska, przyjdź na obiad do mnie."
Lis machnął kitą: „Zbyt wiele zaszczytu
(Rzecze, mrużąc oczki skromnie),
Stawię się niezawodnie". Pościł przez dzień cały
I, obiadowej doczekawszy pory,
Nadchodzi, wielce zgłodniały.
Bocian stawia dwa gąsiory
Z szyją długą i wąską. „Jedz, lisie – powiada –
Proszę: czym chata bogata, tym rada".
I sam w gąsiorze długim dziobem tonie,

Smaczno zajada; lis ślinkę połyka,
Wietrzy jakieś miłe wonie,
Sięga łapą, ostrzy zęby,
Lecz na próżno mordę wtyka:
Szyja długa, ciasne wręby,
Ni ugryźć, ni zmoczyć gęby;
Szkło tylko liże i skrobie,
A bocian dziobie i dziobie.

Wydziobał wszystko. „Mój luby sąsiedzie –
Rzecze – jak widzę, nie jesz: czyś nie chory?"
Zrozumiał lis; i na czczo, chociaż po obiedzie,
Stropiony i zawstydzony
Jak gdyby kurze dał się złapać w szpony,
Zemknął do nory.

Chytre lisy! Pomnijcie, że do czasu sztuka;
Znajdzie się w końcu bocian, który was oszuka.

(tłum. Władysław Noskowski)

Adam Mickiewicz

Przyjaciele

Nie masz teraz prawdziwej przyjaźni na świecie;
Ostatni znam jej przykład w Oszmiańskim powiecie.
Tam żył Mieszek, kum Leszka, i kum Mieszka Leszek,
Z tych, co to: gdzie ty, tam ja – co moje, to twoje.
Mówiono o nich, że gdy znaleźli orzeszek,
Ziarnko dzielili na dwoje;
Słowem, tacy przyjaciele
Jakich i wtenczas liczono niewiele.
Rzekłbyś: dwójduch w jednym ciele.

O tej swojej przyjaźni raz w cieniu dąbrowy
Kiedy gadali, łącząc swoje czułe mowy
Do kukań zozul i krakań gawronich,
Alić ryknęło raptem coś koło nich.
Leszek na dąb; nuż po pniu skakać jak dzięciołek.
Mieszek tej sztuki nie umie
Tylko wyciąga z dołu ręce: „Kumie!"
Kum już wylazł na wierzchołek.

Ledwie Mieszkowi był czas zmrużyć oczy,
Zbladnąć, paść na twarz: a już niedźwiedź kroczy.
Trafia na ciało, maca: jak trup leży;
Wącha: a z tego zapachu,
Który mógł być skutkiem strachu,
Wnosi, że to nieboszczyk i że już nieświeży.

Więc mruknąwszy ze wzgardą odwraca się w knieje,
Bo niedźwiedź Litwin miąs nieświeżych nie je.
Dopieroż Mieszek odżył... „Było z tobą krucho! –
Woła kum. – Szczęście, Mieszku, że cię nie zadrapał!
Ale co on tak długo tam nad tobą sapał,
Jak gdyby coś miał powiadać na ucho?"
„Powiedział mi – rzekł Mieszek – przysłowie niedźwiedzie,
Że prawdziwych przyjaciół poznajemy w biedzie".

Adam Mickiewicz

Powrót taty

(Ballada)

„Pójdźcie, o dziatki, pójdźcie wszystkie razem
Za miasto, pod słup na wzgórek,
Tam przed cudownym klęknijcie obrazem,
Pobożnie zmówcie paciorek.

Tato nie wraca; ranki i wieczory
We łzach go czekam i trwodze;
Rozlały rzeki, pełne zwierza bory
I pełno zbójców na drodze”.

Słysząc to dziatki biegą wszystkie razem
Za miasto, pod słup na wzgórek,
Tam przed cudownym klękają obrazem
I zaczynają paciórek.

Całują ziemię, potem: „W imię Ojca,
Syna i Ducha Świętego,
Bądź pochwalona, przenajświętsza Trójca,
Teraz i czasu wszelkiego”.

Potem: Ojcze nasz i Zdrowaś, i Wierzę,
Dziesięcioro, i koronki,

A kiedy całe zmówili pacierze,
Wyjmą książeczkę z kieszonki.
I litaniją do Najświętszej Matki
Starszy brat śpiewa, a z bratem:
„Najświętsza Matko – przyśpiewują dziatki –
Zmiłuj się, zmiłuj nad tatem!".

Wtem słychać turkot, wozy jadą drogą,
I wóz znajomy na przedzie;
Skoczyły dzieci i krzyczą, jak mogą:
„Tato, ach tato nasz jedzie!"

Obaczył kupiec, łzy radosne leje,
Z wozu na ziemię wylata:
„Ha, jak się macie, co się u was dzieje?
Czyście tęskniły do tata?

Mama czy zdrowa? Ciotunia? Domowi?
A ot rozynki w koszyku".
Ten sobie mówi, a ten sobie mówi,
Pełno radości i krzyku.

„Ruszajcie! – kupiec na sługi zawoła –
Ja z dziećmi pójdę ku miastu".
Idzie... aż zbójcy obskoczą dookoła,
A zbójców było dwunastu.

Brody ich długie, kręcone wąsiska,
Wzrok dziki, suknia plugawa;

Noże za pasem, miecz u boku błyska,
W ręku ogromna buława.
Krzyknęły dziatki, do ojca przypadły,
Tulą się pod płaszcz na łonie;
Truchleją sługi, struchlał pan wybladły,
Drżące ku zbójcom wzniósł dłonie.

„Ach, bierzcie wozy, ach, bierzcie dostatek,
Tylko puszczajcie nas zdrowo,
Nie róbcie małych sierotami dziatek,
I młodej małżonki wdową".

Nie słucha zgraja, ten już wóz wyprzęga,
Zabiera konie, a drugi
„Pieniędzy!" – krzyczy i buławą sięga,
Ów z mieczem wpada na sługi.

Wtem: „Stójcie, stójcie!" – krzyknie starszy zbójca
I spędza bandę precz z drogi,
A wypuściwszy i dzieci, i ojca,
„Idźcie – rzekł – dalej bez trwogi".

Kupiec dziękuje, a zbójca odpowie:
„Nie dziękuj, wyznam ci szczerze,
Pierwszy bym pałkę strzaskał na twej głowie,
Gdyby nie dziatek pacierze.

Dziatki sprawiły, że uchodzisz cało,
Darzę cię życiem i zdrowiem;

Im więc podziękuj za to, co się stało,
A jak się stało, opowiem.

Z dawna już słysząc o przejeździe kupca,
I ja, i moje kamraty,
Tutaj za miastem, przy wzgórku u słupca
Zasiadaliśmy na czaty.

Dzisiaj nadchodzę, patrzę między chrusty,
Modlą się dziatki do Boga,
Słucham, z początku porwał mię śmiech pusty,
A potem litość i trwoga.

Słucham, ojczyste przyszły na myśl strony,
Buława upadła z ręki;
Ach! Ja mam żonę, i u mojej żony
Jest synek taki maleńki.

Kupcze! jedź w miasto, ja do lasu muszę;
Wy, dziatki, na ten pagórek
Biegajcie sobie i za moją duszę
Zmówcie też czasem paciórek".

Aleksander Fredro

Osioł

Osiołkowi w żłoby dano,
W jeden owies, w drugi siano.
Uchem strzyże, głową kręci,
I to pachnie, i to nęci.
Od któregoż teraz zacznie,
Aby sobie podjeść smacznie?
Trudny wybór, trudna zgoda –
Chwyci siano, owsa szkoda,
Chwyci owies, żal mu siana.
I tak stoi aż do rana,
A od rana do wieczora;
Aż nareszcie przyszła pora,
Że oślina pośród jadła –
Z głodu padła.

Aleksander Fredro

Paweł i Gaweł

Paweł i Gaweł w jednym stali domu,
Paweł na górze, a Gaweł na dole;
Paweł, spokojny, nie wadził nikomu,
Gaweł najdziksze wymyślał swawole.
Ciągle polował po swoim pokoju:
To pies, to zając – między stoły, stołki
Gonił, uciekał, wywracał koziołki,
Strzelał i trąbił, i krzyczał do znoju.
Znosił to Paweł, nareszcie nie może:
Schodzi do Gawła i prosi w pokorze:
– Zmiłuj się waćpan, poluj ciszej nieco,
Bo mi na górze szyby z okien lecą. –
A na to Gaweł: – Wolnoć, Tomku,
W swoim domku. –
Cóż było mówić? Paweł ani pisnął,
Wrócił do siebie i czapkę nacisnął.
Nazajutrz Gaweł jeszcze smacznie chrapie,
A tu z powały coś mu na nos kapie.
Zerwał się z łóżka i pędzi na górę.
Stuk! Puk! – Zamknięto. Spogląda przez dziurę
I widzi... Cóż tam? Cały pokój w wodzie.
A Paweł z wędką siedzi na komodzie.
– Co waćpan robisz? – Ryby sobie łowię.
– Ależ, mospanie, mnie kapie po głowie!
A Paweł na to:

– Wolnoć, Tomku,
W swoim domku. –
Z tej to powiastki
morał w tym sposobie:
Jak ty komu, tak on
tobie.

Stanisław Jachowicz

Tadeuszek

Raz swawolny Tadeuszek
Nawsadzał w flaszeczkę muszek,
A nie chcąc ich morzyć głodem,
Ponarzucał chleba z miodem.
Widząc to ojciec przyniósł mu piernika
I nic nie mówiąc drzwi na klucz zamyka.
Zaczął się prosić, płakał Tadeuszek,
A ojciec na to: „Nie więź biednych muszek".
Siedział dzień cały. To go nauczyło:
Nie czyń drugiemu co tobie niemiło.

Stanisław Jachowicz

Chory kotek

Pan kotek był chory i leżał w łóżeczku.
I przyszedł kot doktor:
„Jak się masz, koteczku?"
„Źle bardzo" – i łapkę wyciągnął do niego.
Wziął za puls pan doktor poważnie chorego
I dziwy mu prawi:
„Zanadto się jadło,
Co gorsza, nie myszki, lecz szynki i sadło;
Źle bardzo... gorączka! Źle bardzo, koteczku!
Oj, długo ty, długo poleżysz w łóżeczku
I nic jeść nie będziesz, kleiczek i basta.
Broń Boże kiełbaski, słoninki lub ciasta!"
„A myszki nie można? – zapyta koteczek –
Lub z ptaszka małego choć parę udeczek?"
„Broń Boże! Pijawki i dyjeta ścisła!
Od tego pomyślność w leczeniu zawisła".
I leżał koteczek; kiełbaski i kiszki
Nietknięte; z daleka pachniały mu myszki.
Patrzcie, jak złe łakomstwo! Kotek przebrał miarę,
Musiał więc nieboraczek srogą ponieść karę.
Tak się i z wami, dziateczki, stać może;
Od łakomstwa strzeż was Boże!

Józef Ignacy Kraszewski

Dziad i baba

Był sobie dziad i baba,
Bardzo starzy oboje,
Ona kaszląca, słaba,
On skurczony we dwoje.

Mieli chatkę maleńką,
Taką starą jak oni,
Jedno miała okienko
I jeden był wchód do niej.

Żyli bardzo szczęśliwie
I spokojnie jak w niebie,
Czemu ja się nie dziwię,
Bo przywykli do siebie.

Tylko smutno im było,
Że umierać musieli,
Że się kiedyś mogiłą
Długie życie rozdzieli.

I modlili się szczerze,
Aby Bożym rozkazem,
Kiedy śmierć ich zabierze,
Zabrała dwoje razem.
– Razem! To być nie może,

Ktoś choć chwilę wprzód skona!
– Byle nie ty, nieboże!
– Byle tylko nie ona!

– Wprzód umrę – woła baba,
Jestem starsza od ciebie,
Co chwila bardziej słaba,
Zapłaczesz na pogrzebie.

– Ja wprzódy, moja miła;
Ja kaszlę bez ustanku.
I zimna mnie mogiła
Przykryje lada ranku.

– Mnie wprzódy! – Mnie, kochanie!
– Mnie, mówię! Dośćże tego,
Dla ciebie płacz zostanie!
– A tobie nic, dlaczego?

I tak dalej, i dalej,
Jak zaczęli się kłócić,
Tak się z miejsca porwali,
Chatkę chcieli porzucić.

Aż do drzwi, puk, powoli:
– Kto tam? – Otwórzcie proszę.
Posłuszna waszej woli,
Śmierć jestem, skon przynoszę!
– Idź, babo, drzwi otworzyć!

– Ot to, idź sam, jam słaba,
Ja się pójdę położyć –
Odpowiedziała baba.

– Fi, śmierć na słocie stoi
I czeka tam nieboga!
Idź, otwórz z łaski swojej!
– Ty otwórz, moja droga.

Baba za piecem z cicha
Kryjówki sobie szuka,
Dziad pod ławę się wpycha...
A śmierć stoi i puka.

I byłaby lat dwieście
Pode drzwiami tam stała,
Lecz znudzona, nareszcie,
Kominem wleźć musiała.

Maria Konopnicka

Pojedziemy w cudny kraj

Patataj, patataj,
Pojedziemy w cudny kraj!
Tam gdzie Wisła modra płynie,
Szumią zboża na równinie.
Pojedziemy, patataj...

A jak zowie się ten kraj?

Maria Konopnicka

Co dzieci widziały w drodze

Jadą, jadą dzieci drogą,
Siostrzyczka i brat,
I nadziwić się nie mogą,
Jaki piękny świat!

Tu się kryje biała chata
Pod słomiany dach,
Przy niej wierzba rosochata,
A w konopiach... strach.

Od łąk mokrych bocian leci,
Żabkę w dziobie ma...
– Bociuś! Bociuś! – krzyczą dzieci,
A on: – Kla!... kla!... kla!

Tam zagania owce siwe
Brysio, kundys zły...
Konik wstrząsa bujną grzywę
I do stajni rży...

Idą żeńcy, niosą kosy,
Fujareczka gra,
A pastuszek mały bosy,
Chudą krówkę gna.

Młyn na rzeczce huczy z dala,
Białe ciągną mgły,
A tam z kuźni, od kowala,
Lecą złote skry.

W polu, w sadzie brzmi piosenka
Wskroś srebrzystych ros,
Siwy dziad pod krzyżem klęka,
Pacierz mówi w głos...

Jadą wioską, jadą drogą
Siostrzyczka i brat
I nadziwić się nie mogą,
Jaki piękny świat!

Maria Konopnicka

Zła zima

Hu!Hu! Ha! Nasza zima zła!
Szczypie w nosy, szczypie w uszy,
Mroźnym śniegiem w oczy prószy,
Wichrem w polu gna!
    Nasza zima zła!

Hu! Hu! Ha! Nasza zima zła!
Płachta na niej długa, biała,
W ręku gałąź oszroniała,
A na plecach drwa...
    Nasza zima zła!

Hu! Hu! Ha! Nasza zima zła!
A my jej się nie boimy,
Dalej śnieżkiem w plecy zimy,
Niech pamiątkę ma!
    Nasza zima zła!

Julian Tuwim

Lokomotywa

Stoi na stacji lokomotywa,
Ciężka, ogromna i pot z niej spływa –
Tłusta oliwa.
Stoi i sapie, dyszy i dmucha,
Żar z rozgrzanego jej brzucha bucha:
Buch – jak gorąco!
Uch – jak gorąco!
Puff – jak gorąco!
Uff – jak gorąco!
Już ledwo sapie, już ledwo zipie,
A jeszcze palacz węgiel w nią sypie.
Wagony do niej podoczepiali
Wielkie i ciężkie, z żelaza, stali,
I pełno ludzi w każdym wagonie,
A w jednym krowy, a w drugim konie,
A w trzecim siedzą same grubasy,
Siedzą i jedzą tłuste kiełbasy,
A czwarty wagon pełen bananów,
A w piątym stoi sześć fortepianów,
W szóstym armata – o! jaka wielka!
Pod każdym kołem żelazna belka!
W siódmym dębowe stoły i szafy,
W ósmym słoń, niedźwiedź i dwie żyrafy,
W dziewiątym – same tuczone świnie,
W dziesiątym – kufry, paki i skrzynie,

A tych wagonów jest ze czterdzieści,
Sam nie wiem, co się w nich jeszcze mieści.
Lecz choćby przyszło tysiąc atletów
I każdy zjadłby tysiąc kotletów,
I każdy nie wiem jak się natężał,
To nie udźwigną, taki to ciężar.
Nagle – gwizd!
Nagle – świst!
Para – buch!
Koła – w ruch!
Najpierw – powoli – jak żółw – ociężale,
Ruszyła – maszyna – po szynach – ospale,
Szarpnęła wagony i ciągnie z mozołem,
I kręci się, kręci koło za kołem,
I biegu przyspiesza, i gna coraz prędzej,
I dudni, i stuka, łomoce i pędzi,
A dokąd? A dokąd? A dokąd? Na wprost!
Po torze, po torze, po torze, przez most,
Przez góry, przez tunel, przez pola, przez las
I spieszy się, spieszy, by zdążyć na czas,
Do taktu turkoce i puka, i stuka to:
Tak to to, tak to to, tak to to, tak to to.
Gładko tak, lekko tak toczy się w dal,
Jak gdyby to była piłeczka, nie stal,
Nie ciężka maszyna zziajana, zdyszana,
Lecz fraszka, igraszka, zabawka blaszana.
A skądże to, jakże to, czemu tak gna?
A co to to, co to to, kto to tak pcha,
Że pędzi, że wali, że bucha buch-buch?

To para gorąca wprawiła to w ruch,
To para, co z kotła rurami do tłoków,
A tłoki kołami ruszają z dwóch boków.
I gnają, i pchają, i pociąg się toczy,
Bo para te tłoki wciąż tłoczy i tłoczy,
I koła turkocą, i puka, i stuka to:
Tak to to, tak to to, tak to to, tak to to!...

Julian Tuwim

Skakanka

„Żeby kózka nie skakała,
To by nóżki nie złamała".
Prawda!

Ale gdyby nie skakała,
To by smutne życie miała.
Prawda?

Bo figlować – bardzo miło,
A bez tego – to by było
Nudno...

Chociaż teraz musi płakać,
Potem będzie znowu skakać!
Trudno!

Więc gdy cię dorośli straszą,
Że tak będzie jak z tą naszą
Kozą,
Najpierw grzecznie ich wysłuchaj,
Potem powiedz im do ucha
Prozą:
„A ja znam może dwadzieścia innych kózek, co od rana
do wieczora skakały i zdrowe są, i wesołe, i nic im się
nie stało, i dalej skaczą! Grunt, żeby się nie bać!

Tak skakać, żeby się nic nie stało! Bo inaczej, co by za życie było? Prawda?"
I skacz, ile ci się podoba.
Niech dorośli zobaczą, jak się to robi!

Julian Tuwim

Murzynek Bambo

Murzynek Bambo w Afryce mieszka,
Czarną ma skórę ten nasz koleżka.

Uczy się pilnie przez całe ranki
Ze swej murzyńskiej „Pierwszej czytanki".

A gdy do domu ze szkoły wraca,
Psoci, figluje – to jego praca.

Aż mama krzyczy: „Bambo, łobuzie!"
A Bambo czarną nadyma buzię.

Mama powiada: „Chodź do kąpieli",
A on się boi, że się wybieli.

Mama mu mówi: „Napij się mleka",
A on na drzewo mamie ucieka.

Lecz mama kocha swojego synka,
Bo dobry chłopak z tego Murzynka.

Szkoda, że Bambo czarny, wesoły
Nie chodzi razem z nami do szkoły.

Julian Tuwim

Abecadło

Abecadło z pieca spadło,
O ziemię się hukło,
Rozsypało się po kątach,
Strasznie się potłukło:
I – zgubiło kropeczkę
H – złamało kładeczkę,
B – zbiło sobie brzuszki,
A – zwichnęło nóżki,
O – jak balon pękło,
aż się P przelękło,
T – daszek zgubiło,
L – do U wskoczyło,
S – się wyprostowało,
R – prawą nogę złamało,
W – stanęło do góry dnem
i udaje, że jest M.

Julian Tuwim

Taniec

Skoczył stołek do wiaderka,
Zaprosił je do oberka,
Dzbanek z półki – hyc na ziemię:
„Ja niegorszy! Poproś-że mię!"

A za dzbankiem talerz skoczył,
Dokoluśka się potoczył,
Piec, choć grubas, złapał kija
I ochoczo z nim wywija.

Biedna miotła w kącie stoi,
Też by chciała, lecz się boi,
Bo jak w tańcu się rozluźni,
To ją będą zbierać później.

Tańczy skrzynia i siekiera,
Aż się miotle na płacz zbiera.
Już nie może ustać dłużej
I tak pląsa, aż się kurzy!

Julian Tuwim

Rzepka

(wg starej bajki rosyjskiej)

Zasadził dziadek rzepkę w ogrodzie,
chodził tę rzepkę oglądać co dzień,
Wyrosła rzepka jędrna i krzepka,
Schrupać by rzepkę z kawałkiem chlebka!
Więc ciągnie rzepkę dziadek niebożę,
Ciągnie i ciągnie, wyciągnąć nie może!
Zawołał dziadek na pomoc babcię:
„Ja złapię rzepkę, ty za mnie złap się!"
I biedny dziadek z babcią niebogą
Ciągną i ciągną, wyciągnąć nie mogą!
Babcia za dziadka,
Dziadek za rzepkę,
Oj, przydałby się ktoś na przyczepkę!

Przyleciał wnuczek, babci się złapał,
Poci się, stęka, aż się zasapał!
Wnuczek za babcię,
Babcia za dziadka,
Dziadek za rzepkę,
Oj, przydałby się ktoś na przyczepkę!
Pocą się, sapią, stękają srogo,
Ciągną i ciągną, wyciągnąć nie mogą!

Zawołał wnuczek szczeniaczka Mruczka,
Przyleciał Mruczek i ciągnie wnuczka!
Mruczek za wnuczka,
Wnuczek za babcię,
Babcia za dziadka,
Dziadek za rzepkę,
Oj, przydałby się ktoś na przyczepkę!
Pocą się, sapią, stękają srogo,
Ciągną i ciągną, wyciągnąć nie mogą!

Na kurkę czyhał kotek w ukryciu,
Zaszczekał Mruczek: „Pomóż nam, Kiciu!"
Kicia za Mruczka,
Mruczek za wnuczka,
Wnuczek za babcię,
Babcia za dziadka,
Dziadek za rzepkę,
Oj, przydałby się ktoś na przyczepkę!
Pocą się, sapią, stękają srogo,
Ciągną i ciągną, wyciągnąć nie mogą!

Więc woła Kicia kurkę z podwórka,
Wnet przyleciała usłużna kurka.
Kurka za Kicię,
Kicia za Mruczka,
Mruczek za wnuczka,
Wnuczek za babcię,
Babcia za dziadka,

Dziadek za rzepkę,
Oj, przydałby się ktoś na przyczepkę!
Pocą się, sapią, stękają srogo,
Ciągną i ciągną, wyciągnąć nie mogą!

Szła sobie gąska ścieżyną wąską,
Krzyknęła kurka: „Chodź no tu, gąsko!"
Gąska za kurkę,
Kurka za Kicię,
Kicia za Mruczka,
Mruczek za wnuczka,
Wnuczek za babcię,
Babcia za dziadka,
Dziadek za rzepkę,
Oj, przydałby się ktoś na przyczepkę!
Pocą się, sapią, stękają srogo,
Ciągną i ciągną, wyciągnąć nie mogą!

Leciał wysoko bocian-długonos,
„Fruń-że, boćku, do nas na pomoc!"
Bociek za gąskę,
Gąska za kurkę,
Kurka za Kicię,
Kicia za Mruczka,
Mruczek za wnuczka,
Wnuczek za babcię,
Babcia za dziadka,
Dziadek za rzepkę,

Oj, przydałby się ktoś na przyczepkę!
Pocą się, sapią, stękają srogo,
Ciągną i ciągną, wyciągnąć nie mogą!

Skakała drogą zielona żabka,
Złapała boćka – rzadka to gratka!
Żabka za boćka,
Bociek za gąskę,
Gąska za kurkę,
Kurka za Kicię,
Kicia za Mruczka,
Mruczek za wnuczka,
Wnuczek za babcię,
Babcia za dziadka,
Dziadek za rzepkę,
A na przyczepkę
Kawka za żabkę,
Bo na tę rzepkę
Też miała chrapkę!
Tak się zawzięli,
Tak się nadęli,
Że nagle rzepkę
Trrrach!! – wyciągnęli!

Aż wstyd powiedzieć,
Co było dalej!
Wszyscy na siebie
Poupadali:

Rzepka na dziadka,
Dziadek na babcię,
Babcia na wnuczka,
Wnuczek na Mruczka,
Mruczek na Kicię,
Kicia na kurkę,
Kurka na gąskę,
Gąska na boćka,
Bociek na żabkę,
Żabka na kawkę
I na ostatku
Kawka na trawkę.

Julian Tuwim

Słoń Trąbalski

Był sobie słoń
Wielki – jak słoń.

Zwał się ten słoń
Tomasz Trąbalski.

Wszystko, co miał,
Było jak słoń!

Lecz straszny był
Zapominalski.

Słoniową miał głowę
I nogi słoniowe,

I kły z prawdziwej kości słoniowej,
I trąbę, którą wspaniale kręcił,
Wszystko słoniowe – oprócz pamięci.

Zaprosił kolegów słoni na karty
Na wpół do czwartej,
Przychodzą – ryczą: „Dzień dobry, kolego!"

Nikt nie odpowiada,
Nie ma Trąbalskiego.
Zapomniał! Wyszedł!

Miał przyjść do państwa krokodylów
na filiżankę wody z Nilu:
Zapomniał! Nie przyszedł!

Ma on chłopczyka i dziewczynkę,
Miłego słonika i śliczną słoninkę.
Bardzo kocha te swoje słonięta,
Ale ich imion nie pamięta.
Synek nazywa się Biały Ząbek,
A ojciec woła: „Trąbek! Bombek!"
Córeczce na imię po prostu Kachna,
A ojciec woła: „Grubachna! Wielgachna!"

Nawet gdy własne imię wymawia,
Gdy się na przykład komuś przedstawia,
Często się myli Tomasz Trąbalski
I mówi: „Jestem Tobiasz Bimbalski".
Żonę ma taką – jakby sześć żon miał!
(Imię jej: Bania, ale zapomniał),
No i ta żona kiedyś powiada:
„Idź do doktora, niechaj cię zbada,
Niech cię wyleczy na stare lata!"

Więc zaraz poszedł – do adwokata,
Potem do szewca i do rejenta
I wszędzie mówi, że nie pamięta!

„Dobrze wiedziałem, lecz zapomniałem,
Może kto z panów wie, czego chciałem?"

Błąka się, krąży, jest coraz później,
Aż do kowala trafił, do kuźni.

Ten chciał go podkuć, więc oprzytomniał,
Przypomniał sobie to, co zapomniał!

Kowal go zbadał, miechem podmuchał,
Zajrzał do gardła, zajrzał do ucha,
Potem opukał młotem kowalskim
I mówi: „Wiem już, panie Trąbalski!
Co dzień na głowę wody kubełek
Oraz na trąbie zrobić supełek".
I chlust go wodą! Sekundę trwało
I w supeł związał trąbę wspaniałą!

Pędem poleciał Tomasz do domu.
Żona w krzyk: „Co to?!" – „Nie mów nikomu!
To dla pamięci!" – „O czym?" – „No... chciałem..."
– „Co chciałeś?" – „Nie wiem! Już zapomniałem!"

Julian Tuwim

Zosia – Samosia

Jest taka jedna Zosia,
Nazwano ją Zosia – Samosia,
Bo wszystko:
„Sama! Sama! Sama!"
Ważna mi dama!

Wszystko sama lepiej wie,
Wszystko sama robić chce,
Dla niej szkoła, książka, mama
Nic nie znaczą
Wszystko sama!

Zjadła wszystkie rozumy,
Więc co jej po rozumie?
Uczyć się nie chce – bo po co,
Gdy sama wszystko umie?

A jak zapytać Zosi:
– Ile jest dwa i dwa?
– Osiem!
– A kto był Kopernik?
– Król!
– A co nam Śląsk daje?
– Sól!
– A gdzie leży Kraków?

– Nad Wartą!
– A uczyć się warto?
– Nie warto!

Bo ja sama wszystko wiem
I śniadanie sama zjem,
I samochód sama zrobię,
I z wszystkim poradzę sobie.

Kto by się tam uczył, pytał,
Dowiadywał się i czytał,
Kto by sobie głowę łamał,
Kiedy mogę sama, sama!

– Toś ty taka mądra dama?
A kto głupi jest?
– Ja! Sama!

Julian Tuwim

Kotek

Miauczy kotek: miau!
– Coś ty, kotku, miał?
– Miałem ja miseczkę mleczka,
Teraz pusta już miseczka,
A jeszcze bym chciał.

Wzdycha kotek: o!
– Co ci, kotku, co?
– Śniła mi się wielka rzeka,
Wielka rzeka, pełna mleka
Aż po samo dno.

Pisnął kotek: piii...
– Pij, koteczku, pij!
...Skulił ogon, zmrużył ślipie,
Śpi – i we śnie mleczko chlipie,
Bo znów mu się śni.

Julian Tuwim

Idzie Grześ

Idzie Grześ
Przez wieś,
Worek piasku niesie,
A przez dziurkę
Piasek ciurkiem
Sypie się za Grzesiem.

„Piasku mniej –
Nosić lżej!"
Cieszy się głuptasek.
Do dom wrócił,
Worek zrzucił;
Ale gdzie ten piasek?

Wraca Grześ
Przez wieś,
Zbiera piasku ziarnka.
Pomaluśku,
Powoluśku
Zebrała się miarka.

Idzie Grześ
Przez wieś,
Worek piasku niesie,
A przez dziurkę

Piasek ciurkiem
Sypie się za Grzesiem...
I tak dalej... I tak dalej...

Julian Tuwim

Okulary

Biega, krzyczy pan Hilary:
„Gdzie są moje okulary?"

Szuka w spodniach i w surducie,
W prawym bucie, w lewym bucie.

Wszystko w szafach poprzewracał,
Maca szlafrok, palto maca.

„Skandal! – krzyczy. – Nie do wiary!
Ktoś mi ukradł okulary!"

Pod kanapą, na kanapie,
Wszędzie szuka, parska, sapie!

Szpera w piecu i w kominie,
W mysiej dziurze i w pianinie.

Już podłogę chce odrywać,
Już milicję zaczął wzywać.

Nagle – zerknął do lusterka...
Nie chce wierzyć... Znowu zerka.

Znalazł! Są! Okazało się,
Że je ma na własnym nosie.

Aleksander Puszkin

O rybaku i złotej rybce

Mieszkał stary rybak ze swą starą
Nad samym brzegiem morza.
W starej, nędznej lepiance mieszkali
Równo lat trzydzieści i trzy lata.
Stary łowił siecią ryby w morzu,
A starucha przędła swoją przędzę.
Kiedyś rybak sieć zarzucił w morze,
Powróciła sieć z iłem i szlamem.
Po raz drugi sieć zarzucił w morze,
Powróciła z samą morską trawą.
Po raz trzeci sieć zarzucił w morze,
Sieć wróciła z jedną tylko rybką,
Ale z jaką rybką! Ze złotą!
Jak zaczęła błagać złota rybka,
Jak zaczęła mówić ludzkim głosem:
„Puść mnie, proszę, staruszku, do morza,
Cenny wykup ode mnie dostaniesz,
Każdą prośbę twą spełnię w nagrodę".
Zląkł się stary, bardzo się zadziwił:
Lat trzydzieści i jeszcze trzy lata
Łowił ryby, a dotąd nie słyszał,
Żeby ryba mówiła jak człowiek.
Puścił złotą rybkę do morza
I powiedział jej łaskawe słowa:
„Pan Bóg z tobą, mała, złota rybko,

Wracaj sobie na morskie głębiny,
W chłodnych falach zażywaj swobody,
A wykupu twego mi nie trzeba".

Wrócił stary do swojej staruchy,
Opowiedział jej o wielkim cudzie:
„Rybkę dzisiaj złowiłem – powiada –
Ale jaką! Nie zwyczajną – złotą!
Po naszemu rybka przemówiła,
Poprosiła: puść mnie do domu.
Drogą ceną chciała się wykupić.
Nie ważyłem się wziąć nagrody
I puściłem rybkę do morza".
Jak nie zacznie starucha wymyślać!
„Durniu – mówi – głupi niezdaro!
Nie umiałeś poprosić o wykup!
O koryto byś chociaż poprosił!
Nasze stare całkiem się rozpadło".

Poszedł rybak nad błękitne morze;
Widzi – morze kołysze się z lekka.
Zaczął złotą rybkę przywoływać.
Wypłynęła rybka, zapytała:
„Czego tobie, staruszku, potrzeba?"
Rybak skłonił się nisko i mówi:
„Zmiłuj ty się, jaśnie pani rybko,
Wykrzyczała mnie moja starucha,
Ani chwili spokoju nie daje,
Mówi: »Muszę mieć nowe koryto,

Bo się nasze całkiem rozleciało«.
Na to złota rybka odpowiada:
„Dobrze, nie martw się, idź sobie z Bogiem,
Dostaniecie nowe koryto".
Wrócił stary do swojej staruchy,
Już starucha ma nowe koryto,
Jeszcze gorzej na męża pomstuje:
„Durniu – krzyczy – głupi niezdaro!
Wyprosiłeś, durniu, koryto!
Dużo-ć dla nas z koryta korzyści!
Zaraz wracaj, niezdaro, do rybki.
Skłoń się nisko i o chatę poproś!".

Poszedł stary nad błękitne morze
(Zamąciło się błękitne morze),
Zaczął złotą rybkę przywoływać.
Wypłynęła rybka, zapytała:
„Czego tobie, staruszku, potrzeba?"
Stary skłonił się nisko i mówi:
„Zmiłuj ty się, jaśnie pani rybko!
Jeszcze gorzej starucha pomstuje,
Ani chwili spokoju nie daje,
Chaty żąda baba swarliwa".
Na to złota rybka odpowiada:
„Dobrze, nie martw się, idź sobie z Bogiem,
Spełnię prośbę, dostaniecie chatę".
Wrócił stary do swojej lepianki,
A z lepianki dawnej ani śladu.
Stoi przed nim chata z jasną izbą,

Z murowanym bielonym kominem,
Z dębowymi ciosanymi wroty.
Siedzi sobie starucha przy oknie,
Klnie starego na czym świat stoi:
„Durniu – krzyczy – głupi niezdaro!
Wyprosiłeś chatę, ty durniu!
Zaraz wracaj, skłoń się rybce nisko,
Nie chcę dłużej być prostą włościanką,
Chcę być odtąd rodową szlachcianką!"

Poszedł stary nad błękitne morze
(Szumi, burzy się błękitne morze),
Zaczął złotą rybkę przywoływać.
Wypłynęła rybka, zapytała:
„Czego tobie, staruszku, potrzeba?"
Stary skłonił się nisko i mówi:
„Zmiłuj ty się, jaśnie pani rybko!
Babie do cna we łbie się przewraca,
Ani chwili spokoju nie daje,
Nie chce dłużej być chłopką-włościanką,
Chce być odtąd rodową szlachcianką".
Na to złota rybka odpowiada:
„Dobrze, nie martw się, idź sobie z Bogiem!"

Wrócił stary do swojej staruchy
I cóż widzi? Pyszny dwór wysoki,
Stara baba na ganku stoi
W sobolowym, kosztownym kubraku,
W czepcu złotem i srebrem dzierganym,

Naszyjniki z wielkich pereł dźwiga,
Nosi złote pierścienie na palcach,
A na nogach czerwone buciki;
Dookoła służba się uwija,
Baba ludzi za czupryny ciągnie.
Mówi stary do swojej staruchy:
„Witaj, jaśnie wielmożna szlachcianko!
Już ci teraz chyba dogodziłem!"
Jak nie wrzaśnie starucha na męża:
„Marsz do stajni, służyć za koniucha!"

Mija tydzień, drugi tydzień mija,
Jeszcze więcej zdurniała babina,
Znów posyła staruszka do rybki:
„Wracaj – krzyczy – pokłoń jej się nisko.
Nie chcę już być szlachcianką rodową,
A chcę zostać swobodną królową!"
Zląkł się stary, zaczął prosić, błagać:
„Czy się, babo, szaleju objadłaś?
Ani mówisz, ani chodzisz jak trzeba,
Całe swoje królestwo rozśmieszysz".
Jeszcze gorzej się baba zgniewała,
Uderzyła starego po twarzy:
„Jak ty, chamie, śmiesz mi się sprzeciwiać,
Ze mną spierać, z rodową szlachcianką?
Zaraz idź do rybki, pókim dobra,
A nie pójdziesz – siłą cię przymuszę".
Poszedł biedny staruszek nad morze
(Poczerniało błękitne morze),

Zaczął złotą rybkę przywoływać.
Wypłynęła rybka, zapytała:
„Czego tobie, staruszku, potrzeba?"
Rybak skłonił się nisko i mówi:
„Zmiłuj ty się, jaśnie pani rybko!
Znowu wściekła się moja starucha,
Nie chce być już szlachcianką rodową,
Chce być odtąd swobodną królową".
Na to złota rybka odpowiada:
„Dobrze, nie martw się, idź sobie z Bogiem!
Chce królową być, będzie królową".

Wrócił stary do swojej staruchy
I co widzi? Królewskie komnaty,
A przy stole w królewskiej komnacie
Siedzi baba-królowa ucztując.
Usługuje jej szlachta, dworzanie,
Nalewają jej zamorskie wina,
Piernikami miodowymi karmią,
Naokoło groźne straże stoją,
Na ramieniu trzymają toporki.
Zląkł się stary, kiedy to zobaczył,
Babie swojej do nóg się rzucił:
„Witaj – mówi – potężna królowo!
Wszystko masz, czego dusza zapragnie!"
Baba nawet spojrzeć nie raczyła,
Starowinę kazała wypędzić.
Przylecieli dworzanie i szlachta,
Kułakami starego pobili.

Groźne straże przy drzwiach doskoczyły,
Toporami go chciały zarąbać,
A lud śmiał się, urągał staremu:
„Dobrze ci tak, będziesz miał nauczkę,
Za wysokie progi na twe nogi!"

Mija tydzień, drugi tydzień mija,
Jeszcze więcej zdurniała babina,
Szambelanów po męża posyła,
Odszukali go, przyprowadzili,
A ta baba tak do niego mówi:
„Nie chcę być już potężną królową,
Lecz wszechwładną w morzu cesarzową.
Chcę w głębokim mieszkać oceanie,
Żeby złota rybka mi służyła,
Żeby u mnie na posyłki była".

Nie śmiał stary sprzeciwić się babie,
Ani słowa nie ważył się odrzec,
Znowu idzie nad błękitne morze –
Czarna burza szaleje na morzu,
Gniewne fale wzdęły się, spęczniały,
Wyją, huczą spienione bałwany.
Zaczął stary wzywać złotą rybkę.
Wypłynęła rybka, zapytała:
„Czego tobie, staruszku, potrzeba?"
Rybak skłonił się nisko i mówi:
„Zmiłuj ty się, jaśnie pani rybko!
Co mam robić z przeklętym babsztylem?

Nie chce być już potężną królową,
Lecz wszechwładną w morzu cesarzową,
Chce w głębokim mieszkać oceanie,
Żebyś ty jej, złota rybko, służyła,
Żebyś u niej na posyłki była".
Rybka na to nic nie powiedziała,
Tylko w wodzie plusnęła ogonkiem
I ukryła się w głębokim morzu.
Długo czekał staruszek nad morzem,
Nie doczekał się, wrócił do żony,
Patrzy – znowu ta sama lepianka,
Stara baba siedzi na progu,
A przed babą rozbite koryto.

Aleksander Puszkin

O śpiącej królewnie i siedmiu junakach

Król z królową się rozstaje
I rusza w dalekie kraje,
A królowa w oknie czeka,
Kiedy mąż wróci z daleka.
Czeka z rana aż do nocy,
Patrzy w pole, nieraz oczy
Już zmęczenie i ból mroczy,
Gdy tak patrzy aż do nocy.
Nie widać miłego druha!
Tylko huczy zawierucha,
Śnieg przewala się tumanem,
Pola wkoło zasypane.
Ona czeka czas niemały,
Już mijają trzy kwartały,
A w Wigilię, w noc grudniową,
Córką darzy Bóg królową.
I o świcie gość kochany,
Dzień i noc wyczekiwany,
Spoza rzek i spoza gór
Wraca ojciec-król na dwór.
Raz na niego popatrzyła,
Nawet westchnąć nie zdążyła,
Nie zniosła już tylu wzruszeń
I przed mszą oddała duszę.

Król rok przeżył wśród żałości,
Lecz i on miał swe słabości;
Jak sen rok przeminął długi,
Król ślub bierze po raz drugi.
Prawdę mówiąc, żona nowa
Wyglądała jak królowa:
Smukła, zgrabna, jak śnieg biała,
I dowcipem ujmowała.
Ale za to dumna, mściwa
I zazdrosna, i zdradliwa.
A w posagu jej przypadło
Dość osobliwe zwierciadło,
Co pewną właściwość miało:
Ludzkim głosem przemawiało.
Z nim jedynie była zgodna,
Dobroduszna i łagodna,
Z nim życzliwie żartowała.
Przed nim pyszniąc się pytała:
„Lustro miłe, powiedz szczerze,
A natychmiast ci uwierzę:
Czy na świecie jest wdzięczniejsza,
Bielsza niźli ja, piękniejsza?"
Lustro mówi jej niezmiennie:
„Na cóż spierać się daremnie;
Tyś, królowo, najwdzięczniejsza,
Tyś najbielsza, najpiękniejsza".
I królowa z uśmieszkami
Nuże wzruszać ramionami,
Nuże strzelać w krąg oczami,

Pobrzękiwać pierścionkami,
Nuże, wziąwszy się pod bok,
Dumny w lustrze topić wzrok.

Tymczasem królewna mała
Z roku na rok rozkwitała,
Przeminęło kilka lat
I zakwitła niby kwiat.
Czarnobrewa, białolica,
Wszystkich dobroć jej zachwyca.
Miała zalotników wielu,
A królewicz Elizeusz
Przysłał swata. Król dał zgodę,
Wiano dał dla córy młodej:
Pięć handlowych miast ogromnych,
Nadto zamków sto obronnych.

Na dziewiczy wieczór strojna,
Królowa znów niespokojna,
Gdy przed swoim lustrem stała,
Do niego tak zagadała:
„Czy na świecie jest wdzięczniejsza,
Bielsza niźli ja, piękniejsza?"
Lecz zwierciadło mowę zmienia:
„Piękna jesteś, bez wątpienia,
Lecz królewna jest wdzięczniejsza,
Jeszcze bielsza i piękniejsza".
A królowa jak nie skoczy,
Białą rączką z całej mocy

Jak nie trzaśnie w lustro z krzykiem,
Tupiąc z gniewu obcasikiem!...
„Wstrętne lustro, zamilcz, dość!
Przecież kłamiesz mi na złość.
Ona ze mną chce się mierzyć?
Ja potrafię ją uśmierzyć!
Popatrz, jak to wybujała!
Nie dziwota, że jest biała:
Matka w oknie ciągle tkwiła,
Wzrok tylko w śniegu topiła!
Ona milsza? Przyznaj przecie,
Że nade mnie w całym świecie,
Choć go przejdziesz wzdłuż i wszerz,
Nie ma milszej. Samo wiesz:
Cały kraj mą piękność sławi!"
Lecz zwierciadło swoje prawi:
„A królewna jest wdzięczniejsza,
Jeszcze bielsza i piękniejsza".
Co tu robić? Czarna zawiść
Serce dumnej pani dławi.
Rzuca lustro precz pod ławkę,
Przywołuje swą Czernawkę,
Młodą dwórkę-pokojową,
Rozkazując jej surowo,
By królewnę w las powiodła,
Gdzie wysoka stoi jodła,
Tam, związawszy ręce, nogi,
Na żer wilkom dała srogim.

Nawet diabeł z babą gniewną
Nie da rady. Więc z królewną
Już Czernawka coraz dalej
W gąszcz podąża, chociaż z żalem.
Aż królewna wszystko zgadła.
Wylękniona i pobladła,
Błaga dwórkę: „Moja miła!
Powiedz, cóżem zawiniła?
Nie gub mnie, a daję słowo,
Kiedy będę już królową,
Dam za to hojną nagrodę".
Drgnęło serce w dwórce młodej,
Nie zabiła, nie związała,
Lecz puściwszy powiedziała:
„Nie smućże się, Bóg ci pomóż".
I wróciła wprost do domu.
„Cóż? – królowa ją spytała –
Gdzie królewna pozostała?"
Rzecze dwórka: „W głębi boru,
Nie dożyje do wieczoru.
Mocne ją krępują sznury,
Wnet drapieżnikom w pazury
Wpadnie. Cierpieć będzie mniej
I umierać będzie lżej!"

Już wieść szerzy się ponura,
Że królewska znikła córa!
Tęskni ojciec-król, łzy leje,
Wszelką stracił już nadzieję.

Lecz Elizeusz bez zwłoki
Wybiera się w świat szeroki,
By odnaleźć narzeczoną,
Swą królewnę utraconą...

A królewna w ciemnym borze
Błądząc, aż zabłysły zorze,
Szła i szła, wtem jakiś pałac
Na swej drodze napotkała.
Pies szczekając wybiegł z domu,
Ale zmilkł i przypadł do nóg
Łasząc się. W krąg cisza głucha,
Nie widać żywego ducha.
Biegnie za nią pies łaskawy.
A królewna bez obawy
Staje na ganku przed wejściem,
Za lity ujęła pierścień,
Drzwi cichutko otworzyła,
Jasną izbę zobaczyła,
W izbie ławy pod ścianami,
Wyściełane dywanami,
Pod świątkami stół dębowy,
W jednym kącie piec kaflowy.
Wszystko to nadzieję budzi,
Że to dom poczciwych ludzi.
Tu jej nikt nie skrzywdzi srogo,
Zresztą nie ma tu nikogo.
Królewna dom obejrzała,
Okurzyła, posprzątała,

Świecę Bogu postawiła,
W piecu mocno napaliła,
Wdrapała się na posłanie
I cichutko legła na niem.

Wtem o południowej porze
Tupot rozległ się na dworze.
Wchodzi siedmiu dzielnych braci,
Wszyscy rośli i wąsaci.
Starszy mówi: „Co za zmiana!
Cała izba wysprzątana.
Któż ład zaprowadził w domu?
Któż nas czeka po kryjomu?
Kto? Wyjdź śmiało! Możesz łacno
Z nami przyjaźń zawrzeć zacną.
Gdyś staruszkiem – póki żyjem,
Będziesz dla nas miłym stryjem.
Jeśliś młody i rumiany,
Bratem będziesz nam przybranym.
Kiedyś starką – zostań z nami,
Matką zwać cię przyrzekamy.
Gdyś dziewczyną urodziwą
Siostrą bądźże nam prawdziwą".

To słysząc królewna schodzi,
Gospodarzom, jak się godzi,
Choć rumieńcem płonie twarz,
Kłania się niziutko w pas,
Przepraszając, że znużona,

W dom ich weszła nie proszona.
Zgadli z mowy jej na pewno,
Że jest prawdziwą królewną,
Ugościli z troską szczerą,
Podsunęli świeży pieróg
I kieliszek napełniali,
I na tacy podawali,
Lecz królewna nie chcąc trunku
Odmówiła. Z poczęstunku
Pieróg ledwo przełamała,
Kawałeczek spróbowała
I prosiła, by w tej chwili
Spać jej tylko pozwolili.
Więc królewską wiodą córę
Do świetlicy swej na górę,
A tam dziewczyna bez zwłoki
W sen pogrąża się głęboki.

Tak mijają dni za dniami,
A królewna z junakami
Mieszka w lesie; choć od ludzi
Z dala, nigdy się nie nudzi.
Zanim słońce się ukaże,
Bracia zgodnie wszyscy razem
Jadą zwierza szukać w borze,
Strzelać kaczki na jeziorze
Lub prawicę swą nacieszyć,
Saracena w polu spieszyć,
Albo czasem z tęgich barów

Szablą ścinać łby Tatarów,
Czy wypłaszać z mateczników
Piatigorskich rozbójników.
A z niej cała gospodyni:
Sama w domu ład uczyni,
Ugotuje obiad co dnia,
Zawsze miła, w mowie zgodna,
Oni dla niej pełni czci.
Tak za dniami płyną dni.

Bracia miłą króla córę
Pokochali, więc na górę
Do świetlicy, ledwie dniało,
Siedmiu na raz zapukało.
Starszy rzekł jej: „Ty, dziewczyno,
Siostrą byłaś nam jedyną.
Każdy z nas pokochał ciebie
I za żonę chce dla siebie.
Bo każdemu jesteś droga.
Że nas siedmiu, więc na Boga,
Ty nas pogódź i dlatego
Sama wybierz z nas jednego,
A dla innych bądź bratową.
Powiedz, czemu kręcisz głową?
Czyżbyś nam odmówić chciała?
Czyżbyś nami pogardzała?"

„Och, junacy moi dzielni,
Bracia zacni i rzetelni –

Tak królewna braciom prawi –
Jeśli kłamię, niech Bóg sprawi,
Bym na miejscu tu skonała.
Jam innemu ślubowała.
Wyście wszyscy równie świetni
I rozumni, i szlachetni,
Wszystkich lubię najserdeczniej,
Lecz przyrzekłam kochać wiecznie
Królewicza. I ślub muszę
Zawrzeć z mym Elizeuszem."

Bracia milcząc chwilkę stali,
Tylko w głowy się drapali.
,,Wybacz, nie miej żalu dłużej,
To się więcej nie powtórzy –
Mówi starszy chyląc głowę –
Pytać nie grzech".,,I odmowę
Też wybaczcie mi – dziewczyna
Rzecze – to nie moja wina".
Zalotnicy się skłonili,
Milcząc pokój opuścili
I znów żyli tak jak dotąd,
Zgodnie dzieląc się robotą.

A tymczasem zła królowa
Pamięć o królewnie chowa,
Urody jej nie wybaczy,
W lustro ani spojrzeć raczy,
Bo się na nie ciągle boczy.

Raz jej wreszcie wpadło w oczy
I gniew minął, kiedy siadła
Znowu twarzą do zwierciadła.
I gdy pyszniąc się patrzała,
Tak z uśmiechem powiedziała:
„Witaj, lustro, powiedz szczerze,
A natychmiast ci uwierzę,
Czy na świecie jest wdzięczniejsza,
Bielsza niźli ja, piękniejsza?"
Czarodziejskie mówi szkło:
„Jesteś piękna, wiemy to,
Lecz szczęśliwa z swego losu,
W ciemnym borze, bez rozgłosu
Żyje u junaków młodych
Ta, co więcej ma urody".
I królowa złością pała,
Wzywa dwórkę: „Jak tyś śmiała
Oszukać mnie i dlaczego?"
Przyznaje się do wszystkiego
Służka. A królewska żona
Grożąc dwórce, rozwścieczona,
Poprzysięgła sobie skrycie
Skrócić pasierbicy życie.

Raz królewna, przędzę snując,
Miłych braci wyczekując,
W okno patrzy bez ustanku.
Nagle szczeknął pies na ganku.
Widzi: jakaś mniszka biedna

Kijem psa nie może przegnać.
„Czekaj, babciu – woła do niej –
Czekaj, sama psa odgonię
I wyniosę chleb na drogę...
Jak najchętniej cię wspomogę".
Odpowiada starowina:
,,O, dobra z ciebie dziecina!
Pies przeklęty na mnie skoczył,
Aż mi śmierć zajrzała w oczy.
Obroń mnie przed dzikim zwierzem".
Więc królewna kromkę bierze,
Ale kiedy zbiega z ganku,
Pies szczekając bez ustanku
Mniszce w poprzek drogi staje,
Do królewny dojść nie daje.
Jak drapieżne zwierzę zły,
Na staruchę szczerzy kły,
Gdy się zbliża. „Co się stało?
Chyba w nocy spał za mało?
Nuże, łap!" – królewna miła
Chleb w powietrzu podrzuciła.
Staruszeczka chleb złapała.
„Bądź szczęśliwa – powiedziała –
Niech ci darzy Bóg we wszystkim,
A to weź od biednej mniszki!"
I królewnie pozłociste,
Młode, świeże i soczyste
Jabłko leci prosto w dłonie.
A pies – jak nie skoczy do niej...

Lecz królewna pochwyciła.
„Gdy ci nudno, moja miła,
Jedz jabłuszko, póki świeże,
Dziękuję ci za wieczerzę".
Po tych słowach mniszka stara
Kłania się i znika zaraz.
A pies za królewną w ślad
Aż na ganek wyjąc wpadł
I błagalnie w twarz zagląda,
Jakby ostrzec chciał czy żądał:
„Rzuć!" A w oczach taka żałość,
Że królewna dłonią białą
Jęła gładzić go i prosić:
„No, Sokołku, dość już, dosyć!
Leżeć!" I z powrotem śpieszy,
W izbie jabłkiem się nacieszy.
Lecz choć siadła za wrzecionem,
Jabłko wciąż budzi oskomę.
Takie świeże, pełne soku,
Aż od niego pachnie wokół,
Tak złociste i czerwone,
Jakby miodem napełnione!
Ziarnka widać w nim na wylot...
Chętka rośnie z każdą chwilą.
Na junaków czekać miała,
Ale już nie wytrzymała,
Jabłko w ręce znów porywa,
Do ust niesie niecierpliwa
I nadgryza ząbkiem białym,

Połyka kawałek mały...
Wtem królewna moja miła
Bez ducha się zatoczyła,
Z rąk bezsilnie opuszczonych
Owoc wymknął się czerwony.
Świat jej sczerniał przed oczami
I dziewczyna pod świątkami
Głową wprost na ławę pada,
Nieruchoma, cicha, blada...

W tym czasie huczną gromadą
Junacy do domu jadą
Po wyprawie. Niespodzianie
Pies im biegnie na spotkanie,
Groźnie wyjąc, i wskazuje
Drogę. „Coś w tym złego czuję!
Mówi jeden. – Ani chwili
Nie zwlekajmy!" Pośpieszyli,
Niespokojni i przejęci.
Wchodzą. Nagle bez pamięci
Pies na jabłko warcząc wpadł,
W pysk pochwycił. Ledwo zjadł,
Zwalił się i zdechł. Zapewne
Ten sam jad zabił królewnę.

Bracia stali nad zwłokami
Żalem zdjęci, zlani łzami,
Opuściwszy nisko głowę,
Żegnając modlitwy słowem.

Z ławy razem ją dźwigają
I przystojnie ubierają,
By pochować. Ale nie!
Bo dziewczyna jakby we śnie
Pogrążona, świeża, cicha,
Zda się nawet, że oddycha.
Lecz upływał dzień po dniu,
Nie zbudziła się ze snu.
Więc obrządek pogrzebowy
Czyniąc, w trumnie kryształowej
Zwłoki swej królewny kładą
I zanoszą ją gromadą
Na samotnej góry szczyt,
Nocą, nim zabłyśnie świt.
Między sześciu filarami
Żelaznymi łańcuchami
Trumnę mocno przytwierdzają,
Kratą wkoło otaczają
I kłaniając się do ziemi
Przed zwłokami siostrzanemi
Rzecze starszy: „Śpij w tej trumnie,
Gdy złość ludzka nierozumnie
Nagle życie twe zgasiła.
W niebie już duszyczka miła.
Tu cię wszyscy tak kochali,
Dla miłego ochraniali –
Teraz nikt cię nie dostanie,
W trumnie wieczne masz posłanie".
W owym dniu królowa podła

Znów rozmowy zwykłe wiodła
Ze zwierciadłem potajemnie:
„Powiedz, proszę, czy ode mnie
Wciąż na świecie jest wdzięczniejsza,
Bielsza niźli ja, piękniejsza?"
Lustro mówi jej na nowo:
„Bez wątpienia ty, królowo,
Tyś ze wszystkich najpiękniejsza,
Tyś najbielsza, najwdzięczniejsza".

A królewicz niestrudzony
Ciągle szuka narzeczonej
I po świecie błądzi z troską,
Tęskniąc za nią płacze gorzko.
Próżno pyta o swą miłą;
Jak nad sprawą zbyt zawiłą
Ów się śmieje z całej duszy,
Inny ramionami wzruszy.
Aż się junak zwrócił w końcu
Ku złotemu w niebie słońcu:
„Słońce miłe, świata oko,
Ty po niebie wciąż wysoko
Chodzisz przez calutki rok,
Widzisz każdy ludzki krok.
Pomóż mi! Ty wiesz na pewno,
Co się mogło stać z królewną
Młodą. Jam jej narzeczony".
„Nie wiem, bracie mój rodzony –
Złote słońce powiedziało –

Jam królewny nie widziało,
Może zmarła przed świtaniem,
Ale wkrótce księżyc wstanie,
Jego pytaj. Może wpadł
Na królewny twojej ślad".

Elizeusz nocy ciemnej
Czeka smutny i bezsenny.
Ledwo księżyc się wyłonił,
Już z błaganiem za nim goni:
„O, miesiączku mój kochany,
Rożku srebrny, pozłacany!
Gdy zapada mrok głęboki,
Wstajesz krągły, jasnooki,
Lubując się w twej poświacie,
Gwiazdy spoglądają na cię,
Pomóż mi! Ty wiesz na pewno,
Co się mogło stać z królewną
Młodą. Jam jej narzeczony".
„Nie wiem, bracie mój rodzony –
Odpowiada księżyc srebrny –
Ja zataczam krąg podniebny
I tylko na straży stoję
W nocy, kiedy moja kolej.
Twa królewna znacznie wcześniej
Snadź przebiegła". „Jak boleśnie!
Gdzie jej szukać nie wiem wcale".
Jasny księżyc mówi dalej:
„Czekaj! Wiatr coś wiedzieć może

O niej. Niechże ci pomoże.
Idź do niego, idź bez trwogi!
Nie rozpaczaj, żegnaj, drogi!"
Znów nadzieja nowa świta,
Elizeusz wiatru pyta:
,,O, mocarzu, wietrze z gór,
Ty, popędzasz stada chmur,
Ty, co budzisz fale morza,
Wszędzie wiejesz po przestworzach,
Nie znasz wcale, co to trwoga,
Lękasz się jedynie Boga,
Pomóż mi! Ty wiesz na pewno,
Co się mogło stać z królewną".
„Wiem! – zawołał wiatr. – Za rzeką,
Gdzie leniwe fale cieką,
Góra wznosi się wysoka,
W niej pieczara jest głęboka,
A w pieczarze ciemność głucha,
Szklana trumna na łańcuchach
Pośród słupów się kołysze.
Pogrążona w wieczną ciszę
W tych zamarłych, pustych stronach,
Tam śpi twoja narzeczona".

I odleciał wiatr beztrosko,
A królewicz płacząc gorzko,
Szedł pustynią niezmierzoną,
By na piękną narzeczoną
Spojrzeć jeszcze raz jedyny.

Idzie. Przed nim wśród równiny
Szczyt się wznosi stromy, trudny.
Wkoło niego kraj bezludny.
Elizeusz w ciemny mrok
Już kieruje szybki krok.
Przed nim w jamie mgła surowa,
Wśród mgły trumna kryształowa
Kołysząc się w mrokach lśni.
W niej królewska córa śpi.
O trumnę królewny miłej
Uderzył się z całej siły.
Trumna stłukła się, a ona
Ożyła i zadziwiona,
Sennie błądząc w krąg oczami,
Chwiejąc się nad łańcuchami,
Westchnęła i wyszeptała:
„Jakżem długo, długo spała!"
Wstaje z trumny. Patrzy... Ach!...
I oboje toną w łzach.
Królewicz na rękach mocnych
Niesie ją z podziemi mrocznych,
Czule z sobą rozmawiają
I do domu powracają.
A wieść szerzy się szczęśliwa,
Że królewna wraca żywa.

O tej porze właśnie w domu
Zła macocha po kryjomu
Znów zwierciadło swoje pyta,

Pochwał jego wciąż niesyta:
„Czy ode mnie jest wdzięczniejsza,
Bielsza niźli ja, piękniejsza?"
Lustro mowę znów odmienia:
„Piękna jesteś, bez wątpienia,
Ale królewna wdzięczniejsza,
Bielsza niźli ty, piękniejsza".
Zła macocha się zerwała,
O podłogę szkło strzaskała,
Ku drzwiom biegnie z złością srogą,
A królewna już na progu.
I królowa z trwogi blada
Przed dziewczyną martwa pada.
Ledwo pogrzeb jej sprawili,
Już wesele wyprawili.
Z wierną sobie aż po grób
Elizeusz bierze ślub.
Chyba nikt na ziemi całej
Nie znał uczty tak wspaniałej,
Ja tam byłem, miód tam piłem,
Wąsy ledwo umoczyłem.

Barbara Paluchowa

Mama i komputer

Och mój komputerze, ale z ciebie licho,
póki cię nie włączę, siedzisz sobie cicho.
Lecz wiele mądrości w sobie chowasz,
skoro tato mówi: tęga z niego głowa.

A ja sobie myślę, że i moja mama
jest jak ty, mądralo, zaprogramowana
i ogromną pracę ma do wykonania,
którą rozpoczyna programem ŚNIADANIA.

Potem jest SPRZĄTANIE, lista CO DZIŚ KUPIĆ,
PRZEPIERKA i OBIAD - to program niegłupi.
SPIESZENIE z POMOCĄ w lekcji odrabianiu,
ZAŁATANE dziury w podartym ubraniu.
I tak po kolei, program po programie,
wszystkie ułożone są z myślą o mamie.

A mamusia chociaż pracy ma bez liku,
wieczorami jeszcze uczy się języków.
Więc przed komputera monitorem siada,
bo „Do you speak English" włączyć jej wypada.

Tutaj klawiatura, a tu myszka szara.
Mama – sam widziałem – wziąć ją w dłoń się stara
i powtarza w kółko kiedy nikt nie słyszy:
mam się nie bać myszy… mam się nie bać myszy.

Barbara Paluchowa

Spotkanie z Mrunią

Są ich setki, są tysiące, w lesie, ogrodzie, na łące.
Są czerwone, są i czarne, pracowite, gospodarne.
Jedną z nich w lesie spotkałem,
omal jej nie rozdeptałem..
Pokręciła małą główką,
hej! Człowieku, jestem mrówką.
Z łaski swojej patrz pod nogi, a najlepiej

                                zejdź mi z drogi.
Ja tu do późnej jesieni sprzątam, usuwając z ziemi:
ziarnka piasku,
martwe liszki,
igły z sosen,
łuski z szyszki,
płatki kory,
skrzydła ważki,
trawki i inne drobiażdżki.
Najdrobniejszy szczątek listka też zanoszę

                                do mrowiska.
A dlaczego? Bo głuptasie wszystko to mrówkom

                                przyda się.

Mrunia, – tak na imię miała, po kolei wymieniała
jakie jeszcze mrówcze skarby znosi się

                                pod kopców garby.

W końcu rzecze: wiesz, czasami śnię, że konia

z kopytami

dźwigam, – choć to rzecz nie prosta – aby złoty

medal dostać,

i słyszeć słowa: czy wiecie? Mrunia najsilniejsza

w świecie!

A na koniec dobra rada, kija w mrowisko nie wkładaj.
Nie rozgrzebuj kopca nogą, bo cię mrówki zetną srogo.

Tak skończyło się spotkanie z mrówką Mrunią

na polanie.

Poczytaj mi Mamo

Anna S. Artin

O księciu Popielu

Dawno, dawno temu, nad jeziorem Gopłem wznosił się prastary gród warowny – Kruszwica. Z pokolenia
na pokolenie rządziła nim dynastia Popielidów. Ziemia
wokół jeziora była żyzna, zwierzyny w lasach nie brakowało, to i wszystkim żyło się dostatnio. Książę Popiel
chodził dumny po dziedzińcu i coraz częściej myślał
jakby majątek swój pomnożyć. Nakazał więc wysokie
daniny ściągać, a gdyby okoliczni kmiecie byli temu
przeciwni, to służba dworska miała siłą im dobytek od-
bierać. Powstał lament i oburzenie. Chłopom ciężko
pracującym przy wyrębie lasu lub uprawie zboża, coraz
mniej pozostawało dla siebie i swojej rodziny. Rada
starszych, złożona ze stryjów księcia upominała młodego władcę, by nie był zachłanny i chciwy. Nie podobało się to Popielowi, który nie chciał dzielić się władzą.
Nie podobało się to też jego żonie Rychezie, księżniczce niemieckiej, która wskazywała, że w jej kraju każdy
musi słuchać władcy.

– Co z ciebie za kniaź – jątrzyła – skoro musisz słuchać
stryjów!

Zaniechał Popiel zwoływania wieców, nie rozsyłał też po
kraju wici, ilekroć miał coś ważnego do zdecydowania.

Wiedział jednak, że jeśli posunie się za daleko w wykorzystywaniu swych poddanych, to stryjowie zaprotestują. Bał się, że przygotują bunt i obalą go siłą. Postanowił działać podstępnie i przewrotnie, by uśpić ich czujność.

Wysłał więc herolda, by zaprosił ich wszystkich na ucztę na zamek kruszwicki. Zdziwieni stryjowie stawili się jak jeden mąż. Byli ciekawi, co też Popiel wymyślił nowego. A książe tak do nich przemówił:

– Wielmożni stryjowie, zawiniłem wielce wobec was i swojego ludu. Przyjmijcie moją skruchę, wybaczcie urazy i nie zaprzestańcie wspierać mnie swoją radą, której pragnę i potrzebuję.

Starcy zdumieli się bardzo słysząc te słowa, ale uradowała ich ta nagła przemiana. Kiedy więc Popiel zaproponował wypicie pucharu na znak zgody, spełnili toast ochoczo. Zaraz też służba czeladna poczęła wnosić półmisy z dziczyzną, udźcami z jelenia, bażantami i innym drobnym ptactwem. Nie brakowało też wędzonych ryb wszelkiego gatunku i dojrzałych serów. Na deser podano słodkie miodowe podpłomyki. Starcy jedli żwawo, smakując i zachwalając dobrą kuchnię gospodyni. Rycheza pilnowała, by gościom niczego nie brakowało. Osobiście nalewała obficie wyborne piwo, którego służba czeladna, coraz to nowe beczułki wytaczała z zamkowych piwnic. Gdy już pierwszy głód zaspokojono, a zimne piwo wywołało ogólną wesołość, przebiegła kniazini poleciła przynieść garnce miodu. Uradowali się starcy widząc taką gościnność gospodarzy. Wprawdzie ich wzrok był coraz mniej przytomny, ale za to nie zbywało im na siłach. Jeden przez drugiego przekrzykiwali się w zachwalaniu jadła i napitku, którym zostali uraczeni. Nie zauważyli, że Popiel jakby nie miał apetytu i oszczędzał się także przy piciu. A i Rycheza niepostrzeżenie wymknęła się z sali biesiadnej, odprawiła służbę i sama zeszła do piwnicy po największy garniec miodu. Rozejrzała się trwożnie, by sprawdzić czy jest sama i wyjęła z zanadrza fiolkę z zielonym płynem, który sobie jeszcze z Niemiec przywiozła. Wlała do garnca i dokładnie zamieszała. Wróciła przez nikogo nie zauważona. Tymczasem biesiadnicy dowcipkowali, wspominali dawne dzieje, wyprawy wojenne, polowania na grubego zwierza. Rycheza udawała zainteresowanie i napełniała puchary wszystkim, dyskretnie pomijając tylko Popiela.

Nagle jeden ze stryjów upuścił dzban i zwijając się z bólu upadł na ziemię. Inny ryknął również, gdy poczuł pieczenie w gardle i rozrywającą boleść.

– Zdrada!

– Zdrada!

Zrozumieli, że zostali podstępnie zwabieni na ucztę i otruci. Padali po kolei, wijąc się i pozostając w straszliwych męczarniach. Oczy im krwią nabiegły, w ustach czuli gorycz. Po sali przeszedł jęk konających ciał. Najmłodszy z nich, widząc jak zostało pogwałcone święte prawo gościnności poprzysiągł zemstę:

– Klątwa na ciebie Popielu i twój ród!

– Śmierć wasza będzie haniebniejsza i okrutniejsza, niż nasza.

Podstępna Rycheza tymczasem już przystąpiła do zacierania zbrodni. Owijała ciała w płótno i pod osłoną nocy razem z Popielem wynosiła, by wrzucić do Gopła.

Tak zginęli najbardziej znamienici ze znamienitych. Ale oto nagle wzburzyły się, jak dotąd zawsze spokojne wody jeziora. Fale podniosły się na nieosiągalną przedtem wysokość. Przeszył Popiela miecz trwogi. Wzdrygnęła się też kniazini. Woda nieco opadła, ale wystąpiła z brzegów jeziora i podążała w stronę zamku, za uciekającymi. Rycheza bała się odwrócić, ale ciekawość zwyciężyła.

– To nie woda! To myszy! – zdążyła jeszcze krzyknąć, nim zgraja gryzoni dopadła ją. Tak zginęła księżna i książę Popiel. W męczarniach, podobnych do tych, którzy sami zgotowali stryjom. Tak wyginął ród Popiela. Myszy go zjadły. Wkrótce spłonął też cały gród. Ocalała tylko wieża kamienna, która po dziś dzień stoi nad Gopłem. Nazywają ją Mysią Wieżą, ale ludzie omijają ją z daleka.

Anna S. Artin

O Wandzie, co nie chciała Niemca

Za siedmioma górami, za siedmioma rzekami roztaczało się piękne i żyzne królestwo Kraka. Władca ten, umiłowany przez poddanych, czując, że zbliża się koniec, zwołał radę starszych, posłał też po swoją córkę Wandę. W obecności najznamienitszych przekazał jej swą władzę i wyzionął ducha. Wanda była królewną nie tylko piękną, ale i mądrą. Po ojcu odziedziczyła przenikliwość umysłu, dar zjednywania sobie poddanych

i odwagę. Rządziła więc krajem roztropnie i sprawiedliwie. Sława o królewnie, jej niezwykłej urodzie, dobroci i szerokim sercu roznosiła się szeroko w świat. Wędrowni kupcy ujęci jej niezliczonymi talentami głosili o jej prawym charakterze i niepospolitych talentach. Wieść o pięknej królewnie dotarła

aż na dwór w Niemczech. Królewicz niemiecki Rydygier zapragnął zawładnąć nie tylko jej sercem, ale także dobrami. Posłał więc poselstwo do Krakowa z prośbą o rękę królewny Wandy. Posłowie nie ukrywali, że jeśli odmówi, sprowadzi na siebie gniew niemieckiego królewicza. Zaniepokoiło to Wandę, porywczość narzeczonego, który prośbę w groźbę zmieniał, nie wróżyła nic dobrego.

Księżniczka Wanda podjęła znakomitych gości gościnnie i wystawnie. Dziwowali się rycerze dostrzegając bogactwo i dostatek na polskim stole. Na prośbę, z którą przyjechali, Wanda odpowiedziała grzecznie lecz stanowczo. Nie opuści swoich poddanych, których przyrzekała strzec i dbać o ich pomyślność. Nie wyjdzie za Niemca. Tymczasem Rydygier nie zamierzał pogodzić się z odmową. Nie chciał rezygnować z urodzajnych ziem, o których opowiadali posłowie, lasach nieprzebytych, obfitych w zwierzynę i ptactwo, rzekach pełnych ryb. Wieść o niepospolitej urodzie księżniczki tylko zachęciła go do działania. Zwołał starszyznę rodową i najzdolniejszych wodzów. Wspólnie przygotowali zbrojną wyprawę i po długiej wędrówce stanęli u bram Krakowa. Przeraził się polski lud, przerazili się krakowianie. Zasmuciła się Wanda. Wiedziała, że to jej odmowa sprowadziła na kraj zagrożenie. Nie straciła jednak ducha. W nocy długo rozmawiała z zaufanym sługą, który jeszcze w czasach, gdy żył jej ojciec, najznamienitszy Krak, przysłużył się narodowi. Rano stanęła na czele wojska, postanowiła sama dowodzić obroną.

Gdy w blasku wschodzącego słońca, niemieccy ryce-rze zobaczyli Wandę, porażeni jej pięknością, stanęli jak wryci i odstąpili od walki. Skompromitowany Rydygier uciekał za nimi. Wstyd mu było, że kwiat europejskiego rycerstwa stchórzył przed kobietą. Wiedział, że nie mo-że z niczym wrócić i przeszył się mieczem. Wanda nie świętowała zwycięstwa. Była dziwnie zamyślona. Cały dzień spędziła na modlitwie. Postanowiła podziękować bogom za szczęśliwe ocalenie siebie i swojego ludu. Rano skoczyła z mostu do Wisły, składając swoje życie w ofierze bogom. Płakali poddani, płakał lud, gdy rzeka oddała ciało Wandy. Wyprawili jej pochówek według obowiązującego obyczaju, a żeby wieść o niej nie zagi-nęła, na mogile usypali kopiec.

Wznosi się on do dziś w rejonie rzeki Dłubni, a na szczycie ma niewielki pomnik przedstawiający orła na cokole ozdobionym wizerunkiem miecza i kądzieli, symbolami księżniczki Wandy. Wokół rosną kwiaty, zio-ła, które tak ukochała za życia. W jedną szczególną noc w roku, gdy na Wiśle dziewczęta rzucają wianki, ich szum układa się w pieśń:

Wanda leży w naszej ziemi,
Co nie chciała Niemca,
Lepiej zawsze żyć z swojemi
Niż mieć cudzoziemca.

Anna S. Artin

O smoku wawelskim

Dawno, dawno temu żył sobie dzielny i odważny król Krak. Upodobał sobie ziemię żyzną i bujną wokół rzeki Wisły i wokół niej osiedlił się. Na siedzibę dla siebie i swojej drużyny wybrał wzgórze wapienne, zwane Wawelem. Wraz z nim przybyli kupcy, rzemieślnicy, bartnicy, kołodzieje i każdy z nich zakładał swój warsztat, by mógł prowadzić działalność. Przybywało osadników z roku na rok, aż powstał okazały i bogaty gród, od imienia władcy nazwany Krakowem. Żyło się ludziom spokojnie i dostatnio. Krak był mądrym i dobrym królem.

Aż tu nagle na Kraków spadło nieszczęście. U stóp Wawelu, w wapiennej grocie zamieszkał smok. Był nie tylko ogromny, ale i straszny. Z wielkiej paszczy buchał mu ogień. Gdy wychodził ze swojej siedziby i uderzał ogonem, ziemia drżała. Na miasto padł strach. Krak postanowił zmierzyć się ze smokiem. Zwołał najdzielniejszych śmiałków do swego królestwa i obiecał im:

– Kto zabije smoka, ten dostanie w nagrodę pół królestwa i moją córkę za żonę.

Zgłosiło się wielu rycerzy. Sława o ogromnym majątku króla i wyjątkowej piękności królewny, rozeszła się

bowiem szeroko. Każdy rycerz chciał ponadto dowieść swej odwagi i szlachetności charakteru, ratując strwożonych mieszkańców Krakowa przed ziejącą ogniem bestią. Niestety. Trud śmiałków poszedł na marne. Żadnemu z nich nie udało się zabić smoka. Jeżeli nawet któryś doszedł niepostrzeżenie i wyciągnął miecz, smok raził go ogniem i ten padał trupem. Pewnego razu najodważniejszemu z odważnych udało się uciąć bestii głowę, ale ku przerażeniu wszystkich, głowa natychmiast odrosła.

– Nie ma dla nas ratunku! – szeptali strwożeni ludzie.

– Nie ma dla nas ratunku! – martwił się król.

Tymczasem smok pożerał coraz więcej owiec, baranów, krów i innej zwierzyny. Mieszkańcom Krakowa kończyły się zapasy żywności. Bali się, że dotknie ich głód. Smok zaczął wkrótce zagrażać i ludziom. Do Kraka poczęły dochodzić wieści, że smok porywa i pożera młode dziewczęta. Zasępił się król. Na Kraków padła żałoba.

– Aż tu nagle pewnego dnia, na Wawel dotarł ubogi krakowski szewczyk, zwany Skubą i pilnie króla o posłuchanie prosił.

– Najjaśniejszy królu! Mam sposób na smoka! – zawołał.

– Zbliż się! I mów! – uradował się król.

Wówczas Skuba wyjawił królowi swój sekret. Na koniec poprosił o owcze skóry i dużo siarki.

Przez parę najbliższych dni nikt nie widział Skuby. Szewczyk zamknął się w swoim warsztacie i pilnie pracował.

Z owczych skór uszył duży wór. Wypełnił go dokładnie siarką, a potem zaczął formować kształt owcy. Nocą zakradł się pod smoczą jamę i podrzucił przyrządzoną przez siebie owcę smokowi na śniadanie. Rano smok, gdy tylko wyszedł z pieczary, rozejrzał się za czymś do pożarcia. Ucieszył się, gdy zobaczył takie tłuste śniadanie, natychmiast też owcę połknął. Nie upłynęło wiele, gdy nad miastem wzniósł się ogromny ryk zwierzęcia. Zaraz potem ziemia zatrzęsła się. Oto bowiem smok wypadł, ze swej groty i rzucił się w stronę Wisły. Siarka paliła mu wnętrzności, biegł więc ugasić pragnienie.

Pił i pił. Woda w rzece opadała, a smok ciągle pił. Niejeden widział że brzuch smoka wydyma się coraz bardziej, ale on nie przestawał pić. Nagle potężna eksplozja wstrząsnęła ziemią. Huk był tak wielki, że słyszeli go bartnicy w odległej Puszczy Niepołomickiej, a zgromadzonym nad Wisłą mieszkańcom zdawało się, że to wawelskie wzgórze runęło do rzeki. Gdy wiatr rozwiał dym przerażeni grodzianie ujrzeli cielsko smoka leżące nad Wisłą.

– Tak pił, że aż pękł! – zawołał szewczyk.

– Smok nie żyje! – krzyknęli pozostali. I radość zapanowała w grodzie Kraka. Ludzie ściskali się, śmiali, tańczyli. Uciechom nie było końca.

Pamiętał o swoim przyrzeczeniu król. Przywołał dzielnego szewczyka, który swoim sprytem i rozumem ocalił gród od zagłady.

– Oddaję ci pół królestwa i córkę za żonę. Rządź dzielnie i sprawiedliwie, a twoi poddani kochać cię będą.

Ubogi szewc, który dopiero uczył się rzemiosła, by sobie i swoim najbliższym zapewnić byt, nie spodziewał się takiej nagrody od losu. Krak wyprawił młodej parze huczne wesele, o którym jeszcze długo rozprawiano.

I ja tam byłam, miód i wino piłam, a co usłyszałam, to opowiedziałam.

Anna S. Artin

Madejowe łoże

Za górami, za lasami, za dolinami, w samym środku nieprzebytych mazurskich puszcz, pewien kupiec zgubił drogę. Już drugi dzień kluczył wśród gęstych mokradeł, licznych jezior i dzikich lasów, ale na właściwą ścieżkę, która zaprowadziłaby go do domu, nie mógł trafić. Wystarczyła chwila nieuwagi i jego wóz ugrzązł w bagnie.

– To już koniec – pomyślał kupiec i począł rozpaczać.

Zdarzyło się, że nagle stanął przed nim wędrowiec i zaproponował pomoc.

– Wskażę ci drogę, ale pod jednym warunkiem. Oddasz mi to, co masz w domu, a jeszcze o tym nie wiesz, że masz.

Kupiec poznał, że nieznajomy musiał mieć moc czartowską, ale przystał na układ i podpisał cyrograf. Diabeł wyprowadził kupca na szeroki gościniec, przypomniał o umowie i zniknął. Jakież było jego zdziwienie, gdy wreszcie dotarł do domu i na rękach żony zobaczył maleńkiego syna. Radość z powitania nie trwała długo, zrozumiał bowiem, że wchodząc w układ z diabłem podpisał wyrok na swojego syna. Skrycie płakał i gorzko żałował swojej decyzji. Umowę zataił także przed żoną.

Tymczasem dziecko rosło szybko, było bystre, wnet ujawniło niepospolite zdolności. Cieszyła się nim matka, radowali sąsiedzi i krewni, cieszył się ojciec, ale zawsze dyskretnie po zabawie z synem stary kupiec ocierał łzę. Gdy chłopak skończył lat siedem, zapytał ojca o przyczynę jego smutku. Kupiec wykręcał się, ale synek nalegał, aż poznał prawdę.

– Nie martw się ojcze! Pójdę do piekła i cyrograf odbiorę. Bóg mi pomoże!

Jak postanowił, tak i zrobił. Pożegnał rodziców, przyjął ich błogosławieństwo i przestrogę, by omijał niebezpieczne zakątki, gdzie grasuje okrutny zbój, i ruszył w drogę. Szedł bardzo długo i daleko. Pewnego razu już wielce strudzony postanowił poszukać schronienia na noc. Jego uwagę przykuła ogromna jaskinia, tam też swój krok skierował. Na spotkanie wyszła mu naprzeciw staruszka. Pragnęła go ostrzec, by poszukał sobie innego miejsca na nocleg, bo w tej jaskini mieszka okrutny zbój, jej syn, który nikogo żywego ze swych rąk nie wypuszcza. Za późno! Posłyszał Madej, okrutny zbój, ich rozmowę i ruszył do chłopca. Zaciekawił go jednak bystry wzrok młodzieńca i odwaga, że sam jeden wędruje po tak niebezpiecznych szlakach. Zaczęli rozmowę. Gdy Madej usłyszał, że chłopak idzie do piekła, wykazał jeszcze większe zainteresowanie. Dowiedział się był bowiem, że tam dla niego za niegodziwe czyny, których się dopuścił, liczne napady i rozboje, grabieże i morderstwa, przygotowano karę.

– Puszczę cię wolno, ale pod warunkiem, że dowiesz się, co mnie czeka w piekle.

Chłopiec przystał na to i już z samego rana wyruszył w dalszą drogę. Szedł jeszcze siedem lat, siedem miesięcy i siedem godzin, aż dotarł do bram piekieł. Święte obrazki, które niósł ze sobą i woda święcona otworzyły mu wrota i wkrótce znalazł się przed Belzebubem, zdziwionym widokiem ludzkiej istoty.

– Co cię tu sprowadza? – zapytał diabeł.

– Żądam zwrotu cyrografu na moją duszę, podstępnie wymuszonego na moim ojcu – odparł chłopiec.

Diabeł niechętnie podjął rozmowę na ten temat, bo w piekle, odkąd sprowadził się tam Twardowski, źle się działo. A to smoła była nie dość gorąca, a to cyrografy ginęły, a to diabły traciły zdolność kuszenia. By ukryć diabelskie kłopoty, Belzebub postanowił jak najszybciej chłopca odprawić. Okazało się, że i cyrograf chłopca jest w ręku Twardowskiego, a ten nie miał zamiaru go diabłom oddać. By ratować swój czarci honor Belzebub postanowił postraszyć Twardowskiego Madejowym łożem. Wówczas chłopiec spojrzał w to miejsce i oczom jego ukazał się straszny widok. Oto zobaczył łoże z żelaznej kraty, wystawały z niej błyszczące noże, ostre brzytwy i iglice. Pod spodem palił się ogień. Z góry kapała rozpalona smoła i siarka.

Odzyskawszy cyrograf, chłopiec pospiesznie się oddalił. Czarcia moc sprawiła, że znalazł się przed Madejową jaskinią wcześniej niż się spodziewał. Będąc ciągle pod wrażeniem, opowiedział zbójowi wszystko ze szczegółami, co widział. Zadrżał rozbójnik słysząc słowa chłopca i po raz pierwszy w życiu przestraszył się. Długo milczał wpatrzony w korony stuletnich dębów, a potem wbił w ziemię swoją maczugę i uklęknął.

– Odtąd nie ruszę już tej morderczej pałki. Będę pokutował do chwili, gdy zjawisz się tu powtórnie, ale nie w tej ubogiej koszuli, lecz szatach dostojnika – dodał proroczo.

Młodzieniec powrócił szczęśliwie do domu, ale nie pozostał w nim zbyt długo. Ślubował bowiem, że wstąpi do zakonu. Od tego zdarzenia minęło wiele lat. Zapomniano o okrutnym Madeju, drogi stały się bezpieczne. Pewnego razu zdarzyło się, że w okolicę przybył orszak kościelnych dostojników. Powiadano nawet, że sam biskup jest w ich gronie. Podróżnych zdumiał zapach dorodnych jabłek, dochodzący wraz z powiewem wiatru. Zatrzymano orszak, bowiem najznamienitszy dostojnik zapragnął skosztować owoców z tak wspaniałego drzewa. Wysłani służący powrócili jednak z niczym. Okazało się, że dostępu do drzewa bronił dziarski staruszek. Zainteresowany duchowny postanowił sam sprawdzić nieoczekiwaną przeszkodę. Wysiadł z lektyki i ruszył w stronę wonnego drzewa. Ujrzał go z daleka starzec i padł na kolana przed biskupim majestatem. W biskupie rozpoznał chłopca, który przed laty szedł po cyrograf, a i biskup zorientował się, że stoi przed nim Madej. Starzec czekał na niego wiele lat, wierzył, że się spotkają, bo tylko jemu chciał się wyspowiadać. W miarę jak wypowiadał swoje grzechy jabłka przy których stali zmieniały się w białe gołąbki i ulatywały w niebo. Na jabłoni pozostało już tylko jedno jabłko, ale też i grzech, który miał Madej wyznać był najstraszniejszy. Kiedyś przed laty zabił swego ojca. Gdy wyznał i tę zbrodnię i wyraził żal, uleciało ostatnie jabłko, a Madej otrzymawszy rozgrzeszenie osunął się, jakby zasnął. Biskup jeszcze długo modlił się nad jego ciałem, aż w proch się rozsypało.

Nie ten bowiem zyskuje nagrodę w niebie kto nie grzeszy, ale ten, kto żałuje, pokutuje i wykazuje poprawę.

Kazimierz W. Wójcicki

Szklana góra

Na wysokiej szklanej górze stał zamek cały złoty, a przed zamkiem była jabłoń, na jabłoni złote jabłka. Kto by złote jabłko urwał, wszedłby do złotego zamku, a w srebrnej jednej komnacie ukryta była królewna zaklęta, dziwnej urody. A miała skarby niezrachowane, piwnice pełne drogich kamieni i w izbach zamku skrzynie ze złotem.

Wielu się zbiegało rycerzy od dawna, lecz na próżno siłowali, by się wedrzeć na tę górę. Na koniu ostro podkutym niejeden darł się daremnie i z połowy stromej góry z ciężkim szwankiem spadał nazad. Łamali ręce, nogi i karki.

Piękna królewna z jednego okna patrzyła z żalem, jak próżno tacy rycerze dorodni na dzielnych koniach darli się na górę! Widok królewny zagrzewał serca. Zbiegali się zewsząd ze czterech stron świata, a biedna dziewica już lat siedem daremnie wyglądała zbawcy!

Niemało leżało trupów rycerzy i koni wokoło szklanej góry; wielu konających, z połamanymi żebrami, boleśnie stękało. Był to cmentarz prawdziwy.

Już rok siódmy za trzy doby miał się skończyć, gdy we złotej zbroi rycerz nadjechał pod stromą górę. Roz-

pędził konia, wdarł się w pół góry z podziwem wszystkich, którzy patrzali i nazad wrócił szczęśliwie. Nazajutrz równo ze świtem znowu, gdy mu się pierwsza udała próba, rozpędza swego rumaka, stąpa po górze, jako po ziemi, iskry z podkowy błyskają; patrzą zdziwieni wszyscy rycerze – już blisko wierzchołka góry. Niedługo spojrzą znowu, aż on stoi pod jabłonią. Wtem się wielki zrywa sokół, zaszumiał skrzydłem szerokim i uderzył konia w oczy. Rumak parska, nozdrza wzdyma i najeża gęstą grzywę; stanął dęba wystraszony, nogi mu się oślizgują, pada nazad i z rycerzem porysował szklaną górę; a z rumaka i rycerza nie zostały, jeno kości, co brzęczały w zbitej zbroi jako suchy groch w pęcherzu.

Siódmy rok się jutro kończył, aż nadchodzi żak urodny, młody, silny i wysoki. Patrzy, jak rycerzy wielu łamie karki nadaremnie; podchodzi pod śliską górę i bez konia się gramoli. Już od roku słyszał, będąc w domu jeszcze, o królewnie, co zaklęta w złotym zamku siedzi, na wierzchołku góry szklanej. Poszedł przeto do lasu, zabił rysia i pazury ostre, długie przyprawił sobie na ręce i do dwóch nóg umocował.

Taką bronią opatrzony, darł się śmiało na garb szklany; słońce było na zachodzie, żak w połowie drogi ustał, zmęczony ledwie oddycha, pragnienie spiekło mu wargi! Czarna chmura nadpłynęła, próżno błaga i zaklina, by choć kroplę uroniła. Na próżno otwierał usta! Chmura czarna przepłynęła, ani rosą nie zwilżyła warg spieczonych jak skorupy.

Pokaleczył krwawo nogi, rękoma się jeno trzyma. Słońce zaszło – patrzy w górę; aby dojrzał jej wierzchołka, musiał tak zadzierać głowy, że mu barania czapka spadła. Spojrzy w dół, jaka przepaść! Tam śmierć pewna i niechybna! Z przegniłych trupów smrodliwe ścierwy zaduszały oddech czysty, były to szczątki zuchwałej młodzi, co się darli jak on tutaj.

Już mrok ciemny, gwiazdy blado oświecały szklaną górę, a żak młody, jak przykuty, na skrwawionych rękach wisi. Wyżej drzeć się już nie może, bo wyczerpał wszystkie siły; sam nie wiedząc, co począć, wyciągniony czeka śmierci. Nagle sen skleił oczy, zapomina, kędy leży, strudzony smacznie usypia; lecz choć we śnie, ostre szpony tak głęboko w szkło zapoił, że przespał się do północy, nie zleciawszy z onej góry.

Złotej jabłonki pilnował sokół, co rzucił z koniem rycerza; zawsze w nocy jak czujny strażnik oblatał górę wokoło. Zaledwie miesiąc wyszedł zza chmury, uniósł się z jabłoni i krążąc w powietrzu, zobaczył żaka.

Łakomy ścierwu, pewny, że trup świeży, spuszcza się nagle i siada. Lecz żak już nie spał, dojrzał sokoła i postanowił za jego pomocą uratować się z tej góry.

Sokół zapuścił szpony ostre w ciało, wytrzymał ból mężnie i uchwycił za nogi ptaka; ten przestraszony uniósł go wysoko nad zamek i począł krążyć wokoło wysokiej wieży. Żak krzepko się trzymał, patrzał na lśniący zamek, co przy bladych promieniach miesiąca świecił jak mdła lampa; patrzał na okna wysokie, migające różnobarwną ozdobą, a na ganku siedziała śliczna królewna, zatopiona w myślach, dumając nad swoją dolą. Widząc, że blisko leci jabłoni, dobył zza pasa kozika i obiedwie odciął nogi sokołowi. Ptak zerwał się z bólu wyżej i znikł w obłokach, a młodzieniec spadł na szerokie gałęzie jabłonki.

Wtedy odrzucił nogi sokole, ugrzęzłe wraz z szponami w ciele, a skórkę złotego przyłożywszy jabłka do ran skaleczałych, wnet wygoił wszystkie. Narwawszy pełne kieszenie złotych jabłek, wchodzi śmiało do zamku. Przy bramie zatrzymuje go smok wielki, lecz zaledwie rzucił nań złote jabłko, smok skoczył w fosę i zniknął.

Zaraz się wielka otworzyła brama, zobaczył podwórzec pełen kwiatów i drzew ślicznych; a na wysokim ganku siedziała zaklęta piękna królewna wraz z dworem swoim.

Ujrzawszy dorodnego młodzieńca, zbiegła ku niemu, witając w nim rada pana i męża. Wszystkie mu skarby oddała, a żak młody został wielkim i bogatym panem; na ziemię wszakże już nie powrócił, bo wielki sokół, co był strażnikiem i zamku tego, i samej królewny, mógł tylko zamek i skarby na skrzydłach swoich na ziemię przenieść. Lecz kiedy nogi postradał, w pobliskim lesie na szklanej górze znaleziono jego zwłoki.

Gdy raz z królewną a żoną swoją chodził po ogrodzie zamku, spojrzy na dół i widzi z podziwem, że się mnóstwo ludzi zbiera. Świsnął więc w piszczałkę srebrną, a jaskółka, co służyła za posłańca w złotym zamku, nadleciała.

– Idź się dowiedz, co nowego! – rzekł do małej ptaszyny.

I jaskółka szybko leci, wkrótce wraca i powiada:

– Krew z sokoła ożywiła martwych zwłoki, wszyscy, co polegli pod tą górą, wdzierając się na nią zuchwale, wstali dziś jakoby ze snu, dosiadają rześwo konie, a lud cały, dziwem zdjęty, patrzy na cud niesłychany.

Charles Perrault

Śpiąca królewna

Był sobie raz król i królowa, którzy trapili się bardzo, że nie mają dzieci.

Gdy więc po wielu latach urodziła im się córka, wyprawili jej huczne chrzciny i na chrzestne matki zaprosili znajome wróżki, a było ich siedem.

Wprawdzie z zaproszeniem siódmej mieli nieco kłopotu. Była to bowiem bardzo ruchliwa osóbka i akurat wybrała się na wycieczkę do sąsiedniego królestwa – Facecji. Udało się jednak ją tam odnaleźć, i chociaż właśnie zabawiała się w „Śmieszki i Chichotki" i to w bardzo wesołym towarzystwie, porzuciła natychmiast tę dowcipną grę, aby zdążyć na chrzciny maleńkiej królewny i obdarzyć ją jakąś cenną zaletą. Czynić takie dary było wówczas zwyczajem wróżek.

Chrzest królewny odbył się nadzwyczaj okazale, po czym wszyscy goście udali się do królewskiego zamku na kolację.

Wróżki zajęły miejsca za bogato nakrytym stołem. Przed każdą położono srebrne nakrycie i szczerozłote pudełeczko, a w nim złotą łyżkę, złoty widelec i złoty nóż.

– A po kolacji – możecie sobie to zabrać do domu, panie wróżki – powiedział uprzejmie król. Oczywiście, że wróżki były z tego bardzo rade, co wzmogło dobry humor wszystkich zebranych. Już lokaje zaczęli wnosić dymiące półmiski, gdy otworzyły się drzwi sali jadalnej i weszła jeszcze jedna wróżka. Ósma.

– Oooo! – szepnął król przerażony – Do licha! Zapomniałem o tej starej.

Pięćdziesiąt lat nikt o niej nic nie słyszał!

– Oooo – szepnęła nie mniej przerażona królowa. – Nie mamy dla niej ani srebrnego nakrycia, ani szczerozłotego pudełeczka ze złotą łyżką, złotym widelcem i złotym nożem...

– Proszę nie martwić się, Wasza Królewska Mość – szepnęła do ucha królowej wesoła wróżka, która miała dobre serce, jak wszyscy obdarzeni dowcipem i humorem. – Oddam jej swoje pudełeczko. Biedaczka, ma dość kwaśne usposobienie. Nie trzeba jej drażnić.

Królowa spojrzała z wdzięcznością na wesołą wróżkę, a ta usunęła się robiąc miejsce przy stole dla niespodziewanego gościa.

– Prosimy do stołu! Prosimy do stołu! – wołał król zrywając się ze swego krzesła i podsuwając je starej wróżce.

– Nie pora szastać się teraz, Wasza Królewska Mość. I tak widzę, żeście o mnie zapomnieli.

– Ale skądże... – szepnęła królowa, a wesoła wróżka, chcąc załagodzić sprawę, zaczęła mówić prędko i żywo:

– Jakże dawno nie widziałyśmy się, szanowna kuzynko! Całe pięćdziesiąt lat! Jak miło spotkać się znowu na tak miłej uroczystości!

– Okaże się jeszcze, czy to będzie taka miła uroczystość – mruknęła stara wróżka, patrząc zjadliwie na wesołą kuzynkę.

Oczywiście, że po tych słowach wszyscy goście mocno stracili na humorze, więc król dał znak muzykantom, aby zagrali coś wesołego. Odezwała się skoczna muzyka, lokaje roznosili smakołyki i napoje. Ale i to nie rozchmurzyło starej wróżki. Wprawdzie nieźle pociągała z kieliszka i dobierała z półmisków raz po raz, ale nie uśmiechnęła się ani razu. Wesoła wróżka śledziła z niepokojem, czy starucha nie obmyśla jakichś złośliwych czarów. Postanowiła też mieć się na baczności i w razie czego odwrócić zło, do którego zdolna była z pewnością skwaszona złośnica.

Tymczasem skończyła się uczta i wróżki rozpoczęły wręczanie darów królewnie. Pierwsza obdarzyła ją urodą, druga – rozumem, trzecia – zwinnością, czwarta – słowiczym głosikiem, piąta – wdziękiem, szósta – sprytem, a siódma – dowcipem i humorem.

Czarodziejskie laseczki wróżek unosiły się raz po raz nad kołyską małej królewny, a wesołe zaklęcia przelatywały nad jej główką jak ptaki.

– No, no, dość tego ćwierkania! Dość tych uprzejmości – fuknęła stara wróżka. – Puśćcie mnie teraz do królewny!

I nim ktokolwiek zdołał przeszkodzić, zbliżyła się do kołyski i zamruczała:

– Gdy skończysz piętnaście lat, moja ślicznotko, prze-
kłujesz sobie dłoń wrzecionem i umrzesz.

– Ach! – krzyknęła królowa i zemdlała.

– Wody! Wody! Królowa mdleje! – wołał król.

Wesoła wróżka chwyciła dzbanek, chlusnęła serdecznie na królową i zwróciwszy się do starej wróżki, powiedziała ostro:

– Wstyd mi doprawdy za panią, moja jejmość! Jak
można być tak okrutną! Od dziś nie przyznaję się do
żadnego pokrewieństwa z jejmością! Niestety, nie
mam tyle mocy, aby całkiem odwrócić zły urok, któryś na maleńką królewnę rzuciła, mogę jednak
zmniejszyć jego złe skutki. Nie mdlej, królowo, nie
trap się, królu. Wprawdzie królewna przekłuje sobie
dłoń wrzecionem, nie umrze jednak, ale zapadnie
w stuletni sen.

– W stuletni sen! Ładna historia! – zawołała królowa.
– Ach, ach! Zemdleję jeszcze raz!

– Chwileczkę, Wasza Królewska Mość! – podtrzyma-
ła ją wesoła wróżka. – Proszę przedtem wysłuchać
mnie łaskawie do końca. Po stu latach – ciągnęła dalej
z uśmiechem – zjawi się syn królewski i obudzi królewnę.

– Syn królewski? – zapytała królowa raźniejszym głosem.

– Po stu latach? – westchnął król.

– I sto lat warto poczekać na takiego królewicza! – zawołała wesoła wróżka. – Będzie to bardzo piękny królewicz.

– A! – powiedziała królowa.

– Z zacnego rodu, rozumny i odważny.

– A – a! – powiedział król.

– I bardzo bogaty – dodała od niechcenia wróżka.

– A – a – a! – wykrzyknęła królowa. – Ale czy nie mógłby zjawić się nieco prędzej?

– Cierpliwości – powiedziała wróżka.

– Nic nam innego nie pozostaje – mruknął król. – Czy jednak nie mogłaby pani przyśpieszyć nieco całą tę sprawę, pani wróżko?

Ale nikt mu na to nie odpowiedział. Wesoła wróżka uleciała, a za nią inne.

Nie ma bowiem nic bardziej ulotnego niż wróżki.

Po zniknięciu wróżek król, zdany sam na siebie, postanowił uczynić wszystko, co leży w królewskiej mocy, aby oddalić niebezpieczeństwo grożące jego dziecku.

Zamknął się więc w swoim gabinecie i napisał orędzie do poddanych. Po czym wezwał dobosza i rozkazał mu rozgłosić orędzie po całym kraju. Dobosz wyruszył natychmiast w drogę, zatrzymując się we wszystkich miastach, miasteczkach, osadach, wsiach i przysiółkach i głosił, bijąc w bęben:

Niech głos mój trafi w każdy kąt,
obwieści tę wiadomość:
że zginie każdy, kto by prządł
lub w domu miał wrzeciono!

Wrzeciona macie na złom nieść,
przędziwo – precz! Do kosza!
Król tę rozgłosić kazał wieść,
gdy wezwał mnie, dobosza!

I wszędzie, gdzie pokazał się dobosz królewski, gdzie głosił królewskie orędzie, ludzie wyrzucali wrzeciona na złom, przędziwo – do koszów, wynosili je na śmietnik i palili.

Każdemu przecież życie miłe i nikt nie jest skory nastawiać karku dla czegoś, co wprawdzie nam terkoce mile i przędzie nitkę, o którą nam chodzi, ale naraża nas na tak srogą karę.

Dobosz objechał już cały kraj i zawrócił do zamku. Tu cała sprawa była doskonale znana i nie wymagała obwieszczenia, ale dobosz był sumienny i zatrzymał się u węgła obronnego muru, otaczającego rozległy ogród zamkowy.

Stała tu osypująca się, na wpół zrujnowana wieża. Była bardzo stara: podobno pamiętała jeszcze zamierzchłe czasy króla Dagoberta, który wsławił się na wieki tym, że kiedyś wdział spodnie tyłem do przodu.

Na szczycie wieży było maleńkie okienko i pod nim właśnie zatrzymał się dobosz, nie wiadomo, czy z wrodzonej sumienności, czy też, że nabrał smaku do głoszenia i wybębniania. Wygłosił więc królewskie orędzie jeszcze raz i jeszcze raz uderzył w bęben, i to z wielkim rozmachem.

Wtedy w okienku ukazała się siwa głowa jakiejś staro-winki. Starowinka nastawiła ucha, wychyliła się i zapy-tała:

– A tam co znowu takiego?

– Orędzie królewskie! – zawołał dobosz.

– Co takiego? Mów głośniej, kawalerze, bo nie dosły-szę.

– Orędzie królewskie! – wrzasnął dobosz.

– Orędzie? – powiedziała spokojnie starowinka. – Mam już blisko sto lat, osiemdziesiąt – mieszkam w tej wieży i słyszałam tyle orędzi, że wcale się nimi nie przejmuję.

– Orędzie o wrzecionie! – wrzasnął jeszcze głośniej dobosz, ale na nic to się nie zdało, bo starowinka ode-szła od okna.

– Mniejsza z tym – machnął ręką dobosz. – Ma już sto lat. Nie ma się czym przejmować.

I rad, że odbębnił swoje, okrążył starą wieżę, pogalo-pował wzdłuż muru i wjechał w zamkową bramę. Po czym zameldował królowi, że sumiennie wypełnił jego polecenie.

– No, tak – powiedział król i westchnął. – Zrobiliśmy, co należało. Czas pokaże, co będzie dalej.

Lata biegły spokojnie. Królewna rosła zdrowo i z każ-dym rokiem przybywało jej urody, rozumu, zwinności, sprytu, humoru i dowcipu. Ale, właśnie to wszystko nie-pokoiło króla i królową. Były to przecież dary siedmiu do-brych wróżek i przypominały o złowrogim darze wróżki ósmej: o niebezpieczeństwie czyhającym we wrzecionie.

Król wyjeżdżał z zamku na inspekcje raz po raz, ale nigdzie nie napotkał wrzeciona, chociaż zapędzał się bardzo daleko, aż do samych granic państwa.

Zdawało się, że o wrzecionach wszyscy już zapomnieli.

Mimo to królewna była pod czujną i nieustanną opieką. Nie jest to sprawa łatwa opiekować się kimś, kto jest obdarzony przez wróżki tyloma zaletami, a zwłaszcza rozumem, sprytem, humorem i dowcipem. Król i królowa sprawowali tę opiekę z wielkim oddaniem, i nigdy się nie zdarzyło, by królewnę pozostawiono samą sobie.

Jeśli król i królowa opuszczali zamek, królewna zostawała pod opieką ochmistrzyni i wolno jej było bawić się tylko na zamku i w jego pobliżu, a nie zapędzać się w gąszcze rozległego ogrodu czy pod obronne mury.

Cały zamek był oczywiście strzeżony przez okazałych królewskich gwardzistów, rumianych, pucołowatych, szerokich w barach, wąsatych i o czerwonych nosach.

Królewna skończyła już piętnaście lat. Był piękny letni poranek. Zaraz po śniadaniu król i królowa udali się na objazd okolicy, a królewna została pod opieką ochmistrzyni.

Korzystając z pięknej pogody królewna z piłką i ulubioną suczką Pufcią wybiegła w podskokach do ogrodu, by pobawić się grzecznie w kasztanowej alei.

Ochmistrzyni kroczyła za nią powoli, była to bowiem dama w pewnym już wieku, której nie uchodziło ani biec, ani podskakiwać.

Poleciwszy więc królewnie, aby się nie oddalała, przysiadła sobie na ławce w szerokiej alei, pod cieniem kasztana.

Godna ta dama miała pewną niebezpieczną skłonność: łatwo zapadała w błogą drzemkę. Umiała jednak drzemać tak zręcznie, opierając twarz na dłoni, że nawet bardzo wytrawni dworacy brali ją wówczas za osobę zasłuchaną w słowa przemawiającego właśnie dostojnika czy w dźwięki dworskiej muzyki, którą nawet lubiła, ale właśnie dlatego, że przy niej drzemała.

W alei pod kasztanem nie było wprawdzie przemawiającego dostojnika ani dworskiego zespołu muzycznego, ale przebiegał tu poranny wiaterek, szemrał, poruszał liśćmi kasztana i przesiewał przez nie ciepłe blaski na policzki, na nos ochmistrzyni. Było to bardzo przyjemne, ochmistrzyni przy każdym ciepłym muśnięciu wzdychała błogo: – A... a... a... – i wreszcie usnęła.

Tymczasem królewna biegła wyrzucając przed siebie piłkę, a za królewną biegła Pufcia naszczekując i trzepiąc kosmatymi uszami. Piłka podskakiwała, Pufcia doskakiwała do piłki, wiaterek przebiegał aleją, motyle trzepotały się, ptaki ćwierkały. Był to prawdziwie wesoły poranek, więc królewna, obdarzona przez wróżki słowiczym głosikiem, nuciła wesoło:

Bardzo to miłe chwile,
gdy w słońcu drżą motyle,
gdy ptaszki nucą mile
jak dźwięczne strunki lir.

Gdy po porannej kawce,
zabawisz się na trawce
czy piłką, czy latawcem,
a ptaszki ci: – Ćwir – ćwir!

– Ćwir – ćwir! – ćwierkały ptaki, piłka skakała, toczyła się przed królewną coraz prędzej w stronę zamkowego muru, w stronę starej wieży i tu się wreszcie zatrzymała. Zatrzymała się i królewna. Ciekawie spojrzała na starą wieżę. Nigdy tu nie była. Wolno jej przecież było bawić się tylko w pobliżu zamku.

– O, jaka wysoka wieża! – zawołała królewna. – Wprawdzie nieco się już kruszy i osypuje, ale w szczycie widzę okienko, a w nim kwiaty i firaneczki. Ciekawam, kto tam mieszka?

I królewna wbiegła po kamiennych schodach na szczyt wieży, a za królewną Pufcia. Były tu niskie drzwiczki, a za drzwiczkami słychać było wesolutki furkot.

– Ciekawam, co to takiego? – szepnęła królewna. I pchnęła drzwiczki.

Drzwiczki się otworzyły i królewna znalazła się w małej, schludnej izdebce.

Pośrodku izdebki na drewnianym zydelku siedziała siwa starowinka i przędła na kołowrotku, a wrzeciono obracało się szybko i furkotało wesoło.

– O! – zawołała głośno królewna. – Co to za dziwny sprzęt? Co to się tak szybko obraca?

– Wrzeciono, moja śliczna – nie przestając prząść powiedziała starowinka.

– A co ty robisz, kobiecino? – wykrzyknęła królewna.

– Przędę, moja śliczna, przędę! – powiedziała starowinka.

– Pozwól, żebym ja spróbowała!

– Ach, jak to ładnie! Jak to się robi?

I królewna pochwyciła wrzeciono. A wtedy, czy dlatego, że ruch królewny był zbyt gwałtowny, czy też dlatego, że taka była wola wróżek, królewna przebiła sobie
nim rękę i padła zemdlona.

– Ratunku! Pomocy! – wołała starowinka wychylając
się z okna wieży.

Głos jej rozniósł się po całym ogrodzie, a Pufcia zbiegła po schodach, popędziła do zamku i piskliwie sko-
wycząc rozgłaszała złowrogą nowinę.

Przerażeni dworacy zbiegli się do starej wieży.
Rzecz prosta – najbardziej przerażona była ochmistrzyni, która gorzko sobie wyrzucała chwilę porannej
drzemki. Ale ani żale, ani krzątanina dworaków nie
mogły ocucić królewny. Chociaż rozluźniono jej gor-
secik, chociaż spryskiwano wodą jej twarzyczkę, leżała biedaczka jak bez ducha. I nawet sumienny dobosz, który uważał, że chwila jest odpowiednia, aby
zabębnić na alarm, nie mógł jej ocucić swoim taraba-
nieniem.

Wtedy właśnie w zamkową bramę wtoczyła się karoca królewska, król i królowa wracali z objazdu okolicy.

– Co się tu dzieje? – wykrzyknął król.

– Królewna leży bez ducha w starej wieży! – odpowie-
dzieli nadbiegając spłoszeni dworzanie.

– Ach! – zawołała królowa i oboje z królem pobiegli ku starej wieży przytrzymując na głowach korony.

U wejścia natknęli się na sumiennego dobosza, który bił w bęben i głosił:

Straszliwej wieści dowie się dziś
król i królowa czuła.
Królewna chciała niteczkę zwić,
wrzecionem dłoń przekłuła!

Jakąż nadzieję można mieć
związaną z jej osobą?
Leży bez ducha! Straszną wieść
głosi królewski dobosz.

– Ach! – zawołała królowa, przekrzykując bęben. – Śpieszmy natychmiast. Prędzej, zanim i ja zemdleję! Prędzej! Na pomoc królewnie!

Trudno opowiedzieć, jakie zamieszanie zastali król i królowa, gdy wbiegli do izdebki w szczycie starej wieży!

Ochmistrzyni klęcząc na podłodze podtrzymywała bezwładną główkę królewny, panny dworskie skrapiały ją wodą wołając nieustannie: „ Och" i „Ach", a dworacy stali z załamanymi rękami i wzdychali tak, że firanka w oknie wzdymała się jak od podmuchów wichury. Zamieszanie powiększała jeszcze Pufcia, która kręciła się wszystkim między nogami skomląc, naszczekując i jazgocąc.

– Moi państwo, proszę się uspokoić – odezwał się nagle głos wesołej wróżki, która niespodziewanie zjawiła się wśród dworaków i torowała sobie drogę laseczką.

Dworacy rozstąpili się i umilkli natychmiast, a król wykrzyknął:

– Ach, zjawia się pani w samą porę!

– Wróżki zjawiają się zawsze w samą porę – powiedziała wróżka. – Będąc na wyścigach w królestwie Facecji, dowiedziałam się, że stało się to, co przewidziały wróżki: królewna ukłuła się wrzecionem i zapadła w stuletni sen.

– Ach, niestety – westchnął król. – Straszne nieszczęście! Zachodzę w głowę, jak uchowało się tu wrzeciono, i to – uczciwszy uszy – pod samym królewskim nosem.

– Pod nosem czy na końcu świata – wszystko jedno – powiedziała wróżka. – Tak czy owak musiało się spełnić to, co zapowiedziały wróżki. Mam nadzieję, że Wasza Królewska Mość nie ukarze tej głuchej starowinki?

– Nic by to nie pomogło królewnie – westchnął król.

– Ach, cóż jej teraz pomoże? – zapłakała królowa.

– Przede wszystkim wygodne łóżko – powiedziała wróżka. – Ma przecież spać sto lat, a nie muszę was chyba zapewniać, co w takim wypadku znaczy wygodne łóżko! Ejże, panowie dworzanie! Przeniesiemy królewnę na jej wygodne łoże, do jej sypialni.

Na rozkaz wróżki dworacy przenieśli królewnę do jej komnaty i ułożyli na wygodnym łożu. Natychmiast wskoczyła na nie Pufcia i ułożyła się w nogach śpiącej królewny, która leżała spokojna, śliczna i rumiana, uśmiechając się przez sen z wdziękiem. Każdy, kto na nią spojrzał, musiał przyznać, że to królewna najpiękniejsza w świecie.

– Niech nic nie zakłóci jej snu – powiedziała wróżka, podniosła swoją laseczkę i dotknęła nią króla, królową, ochmistrzynię i wszystkich dworaków, którzy natychmiast usnęli. Pierwsza oczywiście – ochmistrzyni, potem starzy dworacy, później młodzi, później jeszcze panny dworskie, paziowie, lokaje i wąsaci gwardziści o czerwonych nosach. Bardzo to zaniepokoiło Pufcię, która zaczęła się kręcić i ujadać.

– Uśnij i ty, Pufciu – powiedziała wróżka układając ją na łóżku królewny – a gdy obudzisz się po stu latach, będziesz znowu służyć swojej pani.

Pufcia chrapnęła sobie natychmiast, a wróżka przebiegła cały zamek dotykając laseczką wszystkiego, co żyło, co się poruszało, terkotało, furkotało, szumiało, skrzypiało.

Pod dotknięciem czarodziejskiej laseczki usnęły konie w stajni, wielkie kundle na dziedzińcu, koty przy dworskich kominach. Usnęły rożna z nadzianymi indykami – usnął nawet ogień.

Cały zamek pogrążył się w głębokim stuletnim śnie.

– A teraz ukryję zamek przed oczami niewczesnych ciekawskich – szepnęła wróżka.

Skinęła laseczką i w parę chwil wokół zamku wyrosła taka gęstwina jeżyn, głogów, drzew i krzewów, że przedrzeć się przez nią nie mógł żaden zwierz ani człowiek. Wtedy wróżka odleciała i długo nikt nie widział jej w tych stronach.

Minęło sto lat.

Syn króla, który wówczas panował w tym kraju, a był on z innego już rodu niż śpiąca królewna – wybrał się w te strony na łowy.

– Co to za wieżyce migocą zza drzew, tam daleko, panowie myśliwi? – zapytał królewicz przedzierając się na koniu przez leśny gąszcz.

– Nigdy nie mogłem do nich dotrzeć – powiedział jeden z myśliwych.

A drugi dodał:

– Słyszałem, że tam straszy.

– A ja słyszałem – wtrącił trzeci – że schodzą się tam okoliczni czarodzieje i wyprawiają swoje harce.

– Panowie wiecie swoje – odezwał się gajowy, który towarzyszył myśliwym w łowach – a ja wiem swoje.

Myśliwi wzruszyli ramionami, ale królewicz był ciekawy, o czym wiedzą jego poddani, zapytał więc gajowego:

– Co wiecie, dobry człowieku?

– Już pięćdziesiąt lat temu słyszałem, jak mój ojciec opowiadał, że w tym zamku jest księżniczka, proszę Waszej Wysokości. Piękniejszej ludzkie oczy nie widziały. Ponoć śpi ona już sto lat, a obudzi ją syn królewski, któremu jest przeznaczona.

– Śpiąca królewna? – wykrzyknął królewicz. – Królewna, którą ma obudzić syn królewski? Przecież ja właśnie jestem królewskim synem!

– Ho, ho! – zaśmiali się myśliwi kręcąc wąsiki i popatrując na rozpłomienionego królewicza. – Czyżbyś tu, w tej dziczy, liczył na jakąś przygodę?

– Liczę na piękną przygodę, panowie! – zawołał książę z zapałem. – A nie chcąc was narażać na niebezpieczeństwo – ruszam ku niej sam!

Spiął konia i popędził w głąb gęstego lasu. Gąszcz była tu wielka, lecz książę zdziwił się niepomiernie, gdyż rozstępowała się sama przed jego rumakiem. Galopując bez ustanku dotarł wkrótce do bram zamkowych i wjechał w szeroką kasztanową aleję, która prowadziła do zamkowego dziedzińca.

Książę zeskoczył z konia i ruszył przed siebie zdumiony wielką ciszą, która wszędzie panowała. W ciszy wstąpił na dziedziniec.

Widok, jaki się przed nim roztoczył, mógł zmrozić krew w żyłach każdego człowieka.

Leżeli tu pokotem wspaniali królewscy gwardziści i nie dawali znaku życia.

Ale młody królewicz był odważny – myślał bowiem o śpiącej królewnie i o tym, jak bardzo chce ją zobaczyć. Zbliżył się więc śmiało do nieruchomych wojaków i przekonał się, że nie padli w boju, ale obalił ich sen. Spali wcale smacznie na kamieniach dziedzińca. Ich szerokie piersi unosił potężny oddech, ich policzki i nosy były rumiane. Obok gwardzistów leżały poprzewracane kielichy, w których na dnie pozostało jeszcze po parę kropel wina.

– No, no – powiedział królewicz kręcąc głową i ruszył dalej.

Wszedł na zamkowe schody i do kordegardy*, gdzie spali muszkieterzy z muszkietami na ramionach, i do komnat, gdzie spali kawalerowie, panny i damy dworskie, i do kuchni, gdzie spał kucharz, kuchciki i rożna z nadzianymi indykami. Minął wiele pokojów i wreszcie wszedł do złocistej komnaty.

W progu tej komnaty zatrzymał się i stał długo nieruchomy, wpatrzony w złote łoże i w leżącą na nim osóbkę.

Była to niewątpliwie królewna. Młodziutka, najwyżej piętnastoletnia.

Spała smacznie, twarzyczka jej była uśmiechnięta, jakby śniło jej się właśnie coś bardzo przyjemnego. W nogach łoża – pochrapywała mała suczka, raz po raz poruszając przez sen kosmatym ogonkiem.

Młody książę, wpatrzony w śpiącą piękność, zbliżył się do złotego łoża i padł przed nim na kolana. Wtedy śpiąca królewna otworzyła oczy.

– Czy to ty, mój królewiczu? – zapytała z uśmiechem. – Długo czekałam na ciebie.

– Ach, czekałaś? – wykrzyknął uradowany królewicz. – Bardzo się z tego cieszę, ale nic nie rozumiem.

---

* Kordegarda – budynek w pobliżu bramy pałacu, przeznaczony dla straży woj skowej.

– Hau! – zaszczekała Pufcia, która właśnie się obudziła i zaniepokoiła na widok obcego kawalera, klęczącego przy łożu jej pani.

– Cicho, Pufcia! – ofuknęła ją królewna. – To nikt obcy. To królewicz, o którym mówiły wróżki.

Te słowa wszystko wyjaśniły Pufci i królewna mogła w spokoju opowiedzieć królewiczowi całą sprawę od początku. Królewicz oczywiście słuchał z najwyższym zaciekawieniem. Nic dziwnego: była to przecież bajka o Śpiącej Królewnie. Wprawdzie jeszcze bez końca, ale koniec miał już dopowiedzieć on sam. I oczywiście zaraz to zrobił.

– Śliczna królewno – powiedział wzruszony – czy wobec tego zechcesz zostać moją żoną?

– Skoro tak orzekły wróżki... – rzekła królewna skromnie.

– Hau, hau! – zaszczekała nagle Pufcia. Bo za drzwiami rozległ się gwar głosów: króla, królowej, ochmistrzyni i dworaków. Obudzili się właśnie ze stuletniego snu i pobiegli przede wszystkim do drzwi komnaty królewny.

Słysząc głosy, zaczęli się dobijać.

– Kto tam jest? – wołał król. – Proszę otworzyć! Kto tam jest?

– Królewicz – powiedziała otwierając drzwi królewna. I dodała:

– Bardzo przystojny.

– A! – powiedziała królowa.

– Z dobrego rodu, rozumny...

– A – a! – powiedziała królowa.

– I bogaty – dokończyła królewna.

– A – a – a! – powiedziała królowa, wchodząc z całym dworem do komnaty królewny.

Nastąpiły radosne chwile powitania. Królewicz podobał się wszystkim nadzwyczajnie, więc jego prośba o rękę królewny została przychylnie przyjęta.

Gdy wzruszenia ukoiły się nieco – wszyscy poczuli, jak bardzo są głodni.

Nic dziwnego: królewicz galopował po lesie od rana, a reszta towarzystwa nie jadła nic od stu lat.

– Obiad, kucharzu, obiad! – wołał król donośnie, na cały zamek.

– Już podaję! – odkrzyknął kucharz z kuchni. – Właśnie dopiekają się indyki; mam nadzieję, że będą smaczne. Przez sto lat znakomicie skruszały!

Na te słowa wszyscy udali się do jadalnej sali, gdzie zastali już stoły nakryte przez dziarskich, wyspanych lokajów.

U drzwi sali stał sumienny dobosz i bijąc w bęben głosił:

Ja, dobosz, znając sprawę tę,
bom służył jej za gońca,
dzisiaj serdecznie cieszę się
z jej szczęśliwego końca.

Niech młoda para żyje nam,
zawsze szczęśliwa z sobą!
Tego przy bębnie: „Tara-ram"
życzy królewski dobosz.

– Niech żyje młoda para! – zawołali wszyscy za doboszem.

– Niech żyje! – odezwał się dźwięczny głos i nagle wśród gości zjawiła się zadyszana wesoła wróżka.

– Właśnie bawiłam w królestwie Facecji – powiedziała – gdy doszła mnie wiadomość o tym, co dziś zdarzyło się na zamku. Cieszę się, że zdążyłam w porę!

– W samą porę! – wykrzyknęła radośnie królowa. – Właśnie siadamy do obiadu! Prosimy do stołu, kochana pani wróżko! Prosimy!

– Prosimy! Prosimy! – powtórzył król, a za nim dworacy.

– Z przyjemnością! Widzę, że wszyscy są w dobrym humorze i czują się znakomicie! – powiedziała wesoła wróżka.

– O tak! – zawołali wszyscy głośno, a najgłośniej królewicz i królewna.

Wesoły gwar i zamieszanie trwało jeszcze chwilę, a gdy wszyscy nieco przycichli, bo zabrali się do pieczonych indyków – zabrzmiała muzyka.

Przebudzeni muzykanci sięgnęli po skrzypce, wiolę, klarnety, basy i oboje i odezwały się piękne pieśni sprzed stu lat. Lecz zachwyciły wszystkich, bo piękne pieśni i piękne bajki nigdy się nie starzeją.

Charles Perrault

Kopciuszek

Był sobie raz pewien wdowiec, łagodny jak baranek. Miał córkę – śliczną, dobrą i pracowitą dziewuszkę. Ojciec i córka kochali się serdecznie i dobrze im się działo.

Wieczorami zasiadali sobie przy domowym kominie, przy trzaskającym ogniu i patrzyli na iskry przebiegające po płonących drewkach. Zegar tykał: „Tik-tak-tik", para w kociołku szumiała, pokrywa pobrzękiwała jak cygański bębenek, a ojciec pomrukiwał razem z domowym kocurem.

Czasem z tego błogiego pomrukiwania składała się przyśpiewka:

Najmilsza to godzina
wieczorem u komina,
gdy nie przeszkadza nikt.

Nigdzie się nie wyrywam,
spokojnie czas upływa,
z zegara: „Tik-tak-tik".

Hoduję sobie dynie,
czereśnie i brzoskwinie,
warzywnik mam i sad.

Nie skarżę się na nudę,
uprawiam swój ogródek
i bardzo jestem rad.

W spokoju i zgodzie mijały dni i wieczory i byłoby tak zapewne zawsze, gdyby coś nie podkusiło wdowca, żeby ożenił się po raz drugi. Może namówiły go do tego sąsiadki, bo nic łatwiejszego, jak namówić kogo – łagodnego jak baranek.

Wdowa, z którą się ożenił, miała dwie córki. Wszystkie trzy miały przewrócone w głowie i myślały tylko o swoich wygodach. Zaraz po weselu wdowa zaczęła rządzić się w domu wdowca jak szara gęś, wdowiec zaś stawał się z dnia na dzień coraz łagodniejszy i we wszystkim ustępował żonie, byle tylko mieć święty spokój.

Macocha postanowiła skorzystać z tej łagodności i przyuczyć jego córkę do domowych obowiązków, żeby mieć z niej pomoc do wszystkiego, i to darmo.

Żal było patrzeć na tę ślicznotkę, jak męczyła się pracą nad siły, to rąbiąc i rozpalając drwa, to szorując garnki, schody i podłogi. Gdy tak pracowała ciężko, córki wdowy wysypiały się na pierzynach jak susły, objadały się przysmaczkami, przeglądały w lustrach i leniuchowały od rana do wieczora, zabawiając się rozmówkami o szmatkach, wizytach, plotkach i innych dyrdymałkach. Wiedziały, że matka pozwoli im na wszystko i wyzyskiwały biedną sierotę, każąc jej to coś przynieść, to coś odnieść, to coś przystawić, to coś odstawić, to coś przysunąć, to coś odsunąć, to po coś pobiec, to z czymś przybiec, aż się biedactwo umęczyło, zasapało, zadyszało i nie bacząc na spódniczkę, przysiadło na popielniku u domowego ogniska.

– Ej, ej! Śliczny flejtuch z ciebie! – wołała ze śmiechem starsza siostra, która o wytworność i elegancję dbała tylko poza domem.

– Ej, ej! Śliczny z ciebie Kopciuszek! – wołała młodsza, która była lepiej wychowana i nie używała brzydkich słów.

A potem wołały obie na przemian:

– Kopciuszku, nagrzej nam wody! – Kopciuszku, usmaż nam racuszki! – Kopciuszku, uprasuj nam koronkowe kołnierzyki!

– Kopciuszku, zamieć pokój! Kopciuszku! Kopciuszku! Kopciuszku!

I to przezwisko tak przylgnęło do sieroty, że wszyscy nazywali ją Kopciuszkiem. I w domu, i w okolicy.

Była to piękna okolica. Na wzgórzu wznosił się pałac królewski. Był to bardzo elegancki pałac, ozdobiony wieżyczkami i balkonami. W dolinie, pośród wesołych gajów, gdzie śpiewały ptaki i szemrały strumienie, rozsypane były gospodarstwa. Kwiatowe ogródki, sady i warzywniki otaczały domki o wysokich dachach. W jednym z domków, obok gospodarstwa ojca, mieszkała jej chrzestna matka.

Domek ten nie był bardzo elegancki, ale warto o nim wspomnieć, bo chrzestna matka była wróżką, a domków wróżek nie spotyka się na każdym kroku.

Skromniutkie i nieduże
są domki dobrych wróżek
za płotem gęstych bzów.
W ogródkach dobrych wróżek
woń głogów, dzikiej róży uderza nam do głów.

I każdy jest wzruszony, więc wzdycha: – Co za domek!

Gdy niebo się zachmurzy,
chmurzy się domek wróżek,
znika za deszczem, w mgłach.
Gdy słońce świeci w górze,
rozbłyska domek wróżek
od progu aż po dach.

I każdy jest wzruszony, więc wzdycha: – Co za domek!

Wszystkich potrafi urzec
znikomy domek wróżek.
Nie oprze mu się nikt.
Gdy zniknie – oczy zmrużysz
i widzisz domek wróżek,
chociaż przed chwilą – znikł.

I – każdy jest wzruszony, więc wzdycha: – Co za domek!

Pewnego dnia rozeszła się po okolicy wiadomość, że w pałacu królewskim przygotowuje się wielki bal, na który zostaną zaproszone wszystkie okoliczne panienki, aby spośród nich syn królewski wybrał sobie żonę.

Ta wiadomość poruszyła wszystkie młode osóbki, a przede wszystkim obie córki wdowy.

Z wielkim zapałem zaczęły przeglądać swoje stroje, grymasić i przebierać.

Wreszcie postanowiły wystąpić na królewskim balu w nowych sukienkach.

A że Kopciuszek potrafił skrajać i wszystko uszyć pięknie i zgrabnie, zapędziły go natychmiast do roboty.

– Mnie najładniej w różowym! – wykrzykiwała starsza siostra. – Kopciuszku! Uszyj mi różową sukienkę z falbankami!

– Mnie najładniej w niebieskim! – wołała młodsza. – Kopciuszku! Uszyj mi niebieską sukienkę z frędzelkami!

Nowa robota dla Kopciuszka! Dziewuszka musiała teraz krajać, szyć, mierzyć suknie i wysłuchiwać tysiąca grymasów i kaprysów.

Gdy suknie były już gotowe, pannice rozkazały:

– A teraz uczesz nas, Kopciuszku! Tylko modnie i bardzo elegancko!

Zręczna panienka i to potrafiła. Czesząc siostry przed dużym lustrem, widziała odbicie swojej twarzyczki obok naburmuszonych twarzy grymaśnic.

I pomyślała:

– Nie jestem brzydka. Chyba jestem ładniejsza niż moje panny siostry. A już na pewno bardziej zwinna i zręczna. Gdybym to i ja mogła ubrać się ładnie i uczesać... Gdybym to i ja mogła pójść na bal królewski! Tak przecież lubię tańczyć! I umiem! Nawet z miotłą do zamiatania! A przecież na balu będą zgrabniejsi tancerze niż moja wysłużona miotła! Gdybym to mogła pójść na królewski bal... – westchnęła.

– Co tak wzdychasz, Kopciuszku? O czym myślisz? – zapytała młodsza siostra.

– O królewskim balu – odpowiedział Kopciuszek i westchnął sobie jeszcze raz.

– O królewskim balu! – wykrzyknęła starsza siostra. – Może byś chciała, moja panno, pójść na bal do pałacu? Cha, cha! To by się wszyscy uśmiali, gdyby taki Kopciuch w pałacu podrygiwał!

Kopciuszek poczerwieniał z gniewu i już chciał odpowiedzieć coś do słuchu starszej siostrze, ale w tej chwili zajechała rodzinna landara, weszła macocha z ojcem, jeszcze bardziej potulnym i zahukanym niż zwykle, i cała rodzina ruszyła na bal królewski.

Oczywiście – bez Kopciuszka. Kopciuszek został w domu sam. Nie zapalił nawet światła, tylko przysiadł sobie, jak zwykle, na popielniku i patrzył w okno.

Noc była pogodna, na niebie świeciły tysiące gwiazd. Migotały, jakby drżały od chęci do tańca.

– To jest balowa noc – szepnął Kopciuszek. – Ach, jakby to było miło być śliczną, elegancką panienką i tańczyć dziś na królewskim balu!

– Jesteś śliczna, a o elegancję się nie martw – odezwał się obok wesoły głos.

Kopciuszek drgnął, odwrócił się i zobaczył swoją chrzestną matkę. Patrzyła bystro na Kopciuszka i obracała w ręku laseczkę. Łatwo się domyślić, że była to czarodziejska laseczka.

– Chciałabyś pojechać na bal, prawda, moja panienko? – zapytała chrzestna matka.

– Ach, chciałabym, chrzestna matko, ale to przecież niemożliwe! Nie mam ani balowej sukienki, ani karety!

– Ale masz chrzestną matkę, która jest wróżką. Skocz no do warzywnika, moja śliczna, i przynieś mi dynię.

Kopciuszek poskoczył szybko i przyniósł najpiękniejszą z całego warzywnika.

Chrzestna matka dotknęła dynię laseczką i powiedziała:

Dynio, dynio ogrodowa
Kopciuszek cię wyhodował,
wywdzięcz mu się dzisiaj nocą.
Dynio, dynio – bądź karocą!

I uderzyła dynię laseczką w złoty bok.

Bang! – odezwało się i nagle brzuchaty owoc przemienił się w okazałą złotą karocę, na złotych kołach i o lustrzanych oknach.

– A teraz zajmiemy się końmi – powiedziała chrzestna matka. – Kopciuszku, przynieś mi pułapkę na myszy ze spiżarni. Zdaje mi się, że coś w niej chroboce.

Rzeczywiście: w spiżarni złapało się do pułapki sześć zwinnych myszek.

Chrzestna matka kazała Kopciuszkowi unieść nieco drzwiczki pułapki.

Smyrg! Smyrg! – raz po raz – wymykała się z pułapki myszka. A chrzestna matka dotykała każdej swoją laseczką raz po raz, szepcąc coraz to prędzej, bo coraz to prędzej wymykały się myszki:

– Z naszej pierwszej myszki szarej – będzie piękny rumak kary, z naszej drugiej myszki szarej – będzie drugi rumak kary, z naszej trzeciej myszki szarej – będzie trzeci rumak kary, z naszej czwartej myszki szarej – będzie czwarty rumak kary, z naszejpiątejmyszkiszarej – będziepiątyrumakkary, znaszejszóstejmyszkiszarej będzieszóstyrumakkary! – Uf – odetchnęła – chyba starczy, co, Kopciuszku?

– Ach, co za piękne konie! Co za zaprzęg! Ach, dziękuję, chrzestna matko! – wołał Kopciuszek klaszcząc w ręce. – Dziękuję!

– Proszę – roześmiała się chrzestna matka. – Mamy więc już szczerozłotą karocę, zaprzężoną w sześć koni. Ale skąd wziąć woźnicę – Oooo! Widzę kogoś koło drzwi piwniczki! Co za wspaniały szczur! Co za wąs! Co za sierść! Co za mina! Będzie z niego wymarzony woźnica! Pac! go czarodziejską laseczką! No i co powiesz, mój drogi?

– Że już możemy jechać na bal królewski, proszę pani! – odpowiedział grubym głosem wspaniały woźnica, po którym nikt by nie poznał, że przed chwilą był szczurem.

– No, a co ty powiesz, Kopciuszku? – zapytała chrzestna matka.

– Że jestem szczęśliwa! – wykrzyknęła dziewuszka klaszcząc w ręce. – Mam już wspaniałego woźnicę z siarczystym wąsem i sześć karych rumaków. Brak mi tylko balowej sukienki.

– Zaraz znajdzie się i na to rada – powiedziała chrzestna matka. – Stań przede mną, Kopciuszku. Prościutko.

Kopciuszek stanął przed chrzestną matką prościutko, a ta dotknęła go lekko swoją laseczką i w mgnieniu oka zniszczona sukienczyna Kopciuszka przemieniła się we wspaniałą srebrno-złotą suknię, a zniszczone chodaki w rozkoszne pantofelki z popieliczej skórki, w najmiększe pantofelki do tańca.

Tak wystrojony siadł Kopciuszek do karocy, ale zanim konie ruszyły, odezwała się chrzestna matka:

– Jedziesz więc na bal do pałacu, Kopciuszku, i mam nadzieję, droga chrześniaczko, że będziesz się dobrze bawiła. Pamiętaj jednak nie zmarudzić na balu dłużej niż do północy. Bo jeślibyś choć chwilkę się zapóźniła, karoca znowu stanie się dynią, konie – myszkami, woźnica – szczurem, a twoja piękna suknia zmieni się w łachmany.

– Nie zmarudzę, chrzestna matko! Nie zmarudzę! Wymknę się z balu przed północą! Dziękuję za rady, dziękuję za wszystko!

– Więc baw się dobrze, Kopciuszku! – zawołała chrzestna matka wymachując na pożegnanie czarodziejską laseczką.

– Wiooo! – wykrzyknął wspaniały woźnica i trzasnął z bata. Sześć koni ruszyło z kopyta, a woźnica ruszał wąsami, pośpiewywał z kawalerska i mrugał ku gwiazdkom, które całym rządkiem ustawiły się nad drogą do królewskiego pałacu i odmrugiwały mu wesolutko.

Ej, jadę paradnie!
Z bata sobie trzaskam!
Z nieba ku mnie ładnie
mruga panna gwiazdka.

Jedna gwiazdka mruga,
za nią mruga druga,
a ja w niebo w blaskach
z bata sobie trzaskam!
Hu – ha!

Coraz więcej gwiazdek mrugało nad drogą pałacową, coraz prędzej gnały konie, coraz prędzej toczyła się karoca. Nie minął i kwadrans, a zatrzymała się przed pałacem.

– Kto to przyjechał? Kto to przyjechał? – pytali królewscy lokaje.

– Nieznajoma księżniczka! Nieznajoma księżniczka! – huknął z kozła wspaniały woźnica.

Lokaje pobiegli natychmiast do pałacu z tą nowiną. Gdy doszła ona do uszu królewicza, bardzo go zaciekawiła, bo każdy lubi niespodzianki. Zwłaszcza gdy chodzi o tak śliczną niespodziankę, jak Kopciuszek w srebrno-złotej sukni i w najmiększych w świecie pantofelkach z popieliczki.

Wybiegł więc królewicz przed pałac, a że śliczna nieznajoma wysiadała właśnie z karocy, podał jej rękę i wprowadził do balowej sali, w szmer głosów, w blask świateł i dźwięki muzyki.

Ach, bal! Dźwięki muzyki,
szepty, śmieszki, żarciki.
Błyszczą szklane świeczniki,
płoną świeczek płomyki.

Kremy, lody, karmelki,
wybór świetny i wielki,
oranżady butelki,
w oranżadzie – bąbelki.

Dźwięk muzyki, słów szmerek,
blask kolczyków, klamerek,
panieneczek mknie szereg.
Każda – niby cukierek.

– Jakie zwinne panieneczki! Jak tańczą zgrabnie! Brawo! Brawo! – wołali dworzanie. Gwarno było i wesoło.

Lecz gdy syn królewski wprowadził na salę Kopciuszka, zapadła nagle cisza: zatrzymali się tancerze, umilkły skrzypce i inne instrumenty, a wszystkie oczy zwróciły się ku Kopciuszkowi i odezwał się szmer głosów.

– Ach, jaka śliczna!

Sam nawet król, chociaż już dobrze stary, wodził za nią nieustannie wzrokiem i poszeptywał w ucho królowej, że nigdy nie widział tak wdzięcznej twarzyczki.

Wszystkie damy wypatrywały oczy, podziwiały ją i siostry, choć nie poznały Kopciuszka w tej strojnej damie, a królewicz nie odstępował jej ani na chwilę i nie zważał nic na inne panny.

Przy tańcu, miłej rozmowie i przysmakach – czas minął tak szybko, że ślicznotka ani się spostrzegła, gdy zegar wybił kwadrans przed dwunastą.

Słysząc uderzenia zegara zerwała się w popłochu od stolika, przy którym książę częstował ją pomarańczami, złożyła wszystkim piękny ukłon i wybiegła z pałacu po szerokich schodach na dziedziniec. W mgnieniu oka dopadła karocy, konie ruszyły i nim minęła północ, stanęły przed domem.

– Dziękuję za wszystko, chrzestna matko! – wykrzyknął Kopciuszek.

W tej chwili północ wybiła. Karoca, konie i woźnica znikli, piękna suknia Kopciuszka przemieniła się w codzienną zniszczoną sukienczynę, a najmniejsze w świecie pantofelki z popieliczki – w stare chodaki.

W dobre parę godzin po północy cała rodzina powróciła z balu. Kopciuszek otworzył im drzwi. Szelmutka przeciągała się przy tym, niby to zaspana, choć od powrotu z balu nie zmrużyła oka, wspominając błogie chwilki. Siostry także nie śpieszyły się do łóżek: chciały jeszcze obgadać cały bal królewski.

Paplały i paplały. O pięknej muzyce, dwornych tancerzach, znakomitych lodach, oranżadzie z bąbelkami, o strojnych pannach, nie omieszkując pochwalić i same siebie, i swoje sukienki, których – prawdę mówiąc – nikt by im tak pięknie nie uszył jak Kopciuszek. Mówiły także, jak to syn królewski im nadskakiwał, póki nie zjawiła się dama w srebrno-złotej sukni, w najmiększych w świecie pantofelkach z popieliczki.

– Jaka dama? – zapytał Kopciuszek poważnie, choć śmiać mu się chciało.

– Zupełnie nieznajoma. Ale trzeba przyznać, że elegancka – powiedziała młodsza siostra. – Elegancka, nieelegancka, co cię to obchodzi – fuknęła starsza siostra. Pościel nam lepiej łóżka i to – raz, dwa! Musimy się dobrze wyspać, bo jutro znowu bal odbędzie się w pałacu!

– Znowu? – zdziwił się Kopciuszek.

– Synowi królewskiemu nadzwyczaj się spodobał taniec z nieznajomą damą w pantofelkach z popieliczki. Postanowił więc jutro wydać jeszcze jeden bal, licząc, że dama ta zjawi się na nim znowu.

– Oooo – powiedział Kopciuszek. – Pięknie. Więc zaraz pościelę wam łóżka, abyście się przed tym balem dobrze wyspały.

Nazajutrz obie siostry wybrały się znowu na bal do pałacu. I znowu chrzestna matka wyprawiła na bal Kopciuszka. Bal był równie piękny, przyjęcie równie smaczne, a muzyka grała do tańca równie doskonale. Szklane świeczniki migotały, jarzyły się płomyki świec, skrzyły się kryształowe kielichy, w których pękały bąbelki najznakomitszej w świecie oranżady. Ale Kopciuszkowi wydało się wszystko jeszcze bardziej świetliste, jeszcze bardziej urzekające, bo syn królewski tańczył tylko z Kopciuszkiem, tylko Kopciuszkowi szeptał czułe słówka.

Toteż ślicznotka bawiła się tak doskonale, że gdy zegar zaczął bić północ, wydało jej się, że to jedenasta, i przeraziło ją dopiero ostatnie uderzenie. Spłoszona wyrwała się spośród tańczących i wybiegła z sali balowej.

Pędząc po pałacowych schodach potknęła się i spadł jej ze stopki najmiększy w świecie pantofelek z popieliczki.

Nie czas było jednak go podnosić. W jednym pantofelku wpadła na pałacowy dziedziniec.

– Ej, woźnico! Woźnico! – zawołała.

Ale przed pałacem nie było ani złotej karocy zaprzężonej w sześć rumaków, ani wspaniałego woźnicy. Znikli. Znikła także srebrno-złota suknia i Kopciuszek musiał biec do domu w obdartej sukienczynie, na bosaka, zaciskając w dłoni pamiątkę po swoich balach: najmiększy w świecie pantofelek z popieliczki.

Zapóźnił się też bardzo i wbiegł do domu na małą chwilkę przed powrotem sióstr.

– Ach, ach! – wołały siostry sadowiąc się na stołkach przed kominem. – Co też dziś się działo na królewskim balu! Piękna pani znowu zjawiła się w pałacu, syn królewski znowu jej nie odstępował, lecz gdy tylko zegar zaczął bić północ, umknęła tak szybko, że spadł jej z nóżki najpiękniejszy w świecie pantofelek z popieliczki.

– I co? I co? – dopytywał się Kopciuszek.

– I podniósł go syn królewski, a potem – bezustannie się w niego wpatrywał i nie tańczył ani razu z żadną panną. Na pewno zakochał się w tej, która miała pantofelek na nóżce.

– I co? I co? – dopytywał się Kopciuszek bez tchu.

– I pstro! – fuknęła niegrzecznie starsza siostra. – Pościel nam łóżka, Kopciuchu, zamiast gadać, bo spać nam się chce! Wkrótce pewno dowiemy się czegoś więcej!

Rzeczywiście: wkrótce głośno było o tej sprawie w całej okolicy. Nic dziwnego, bo syn królewski rozesłał po kraju swoich gońców, aby obwieścili wszystkim obywatelom, że w pałacu znaleziono na schodach najpiękniejszy w świecie pantofelek z popieliczki i że syn królewski poślubi pannę, na której nóżkę będzie ten pantofelek w sam raz. Wkrótce też ukazał się w okolicy piękny dworak na koniu i zatrzymywał się wszędzie tam, gdzie mieszkały panny, u siodła miał przytroczony najmięksy w świecie pantofelek z popieliczki i wedle rozkazu królewicza rozpoczął przymiarki.

Objechał już z tym pantofelkiem wszystkie prawie okoliczne domki, z wyjątkiem dwóch: domku chrzestnej matki i domku wdowca. Przymierzyły już pantofelek wszystkie okoliczne panny, ale był on tak mały, że żadna nie mogła wepchnąć weń stopy, choć był taki mięciutki.

Zatroskany dworak zatrzymał się przed domkiem wróżki. Spojrzał na płotek, na gęste bzy, wciągnął w nos zapach róż i westchnął:

– Co za domek!

A potem zajrzał przez płotek i zapytał:

– Czy jest tam kto?

– I owszem: ja – powiedziała chrzestna matka z ganku.

– Oooo! – powiedział piękny dworak i ukłonił się z wielką elegancją. – Czy mógłbym wobec tego prosić o przymierzenie tego pantofelka? Mam rozkaz przymierzyć go każdej pannie.

– Nie jestem panną – odpowiedziała chrzestna matka skromnie. – Jestem wróżką.

– Oooo! – powiedział piękny dworak. – W takim razie może będzie pani łaskawa powiedzieć, pani wróżko, czy są jeszcze w okolicy jakieś panny, abym im ten pantofelek przymierzył?

– Są jeszcze trzy panny – odpowiedziała uprzejmie chrzestna matka wskazując laseczką domek wdowca. – O, tam!

– Dziękuję – powiedział piękny dworak i skierował konia ku domkowi wdowca. Ale oglądał się raz po raz na domek za drzewami bzów, jakby trudno mu było stąd odjechać.

Odjechał jednak, bo każdy dworak musi być posłuszny królewskim rozkazom. Na chwilę tylko zatrzymał się, przymknął oczy, szepnął: – Ach! i westchnął.

Gdy stanął przed gankiem domku wdowca, macocha wybiegła mu naprzeciw, zapraszając go z wielką uprzejmością.

Obie siostry strojąc skromne minki usiadły na krzesełkach i wyciągnęły przed siebie nogi, a piękny dworak zaczął przymierzać pantofelek.

Daremnie jednak siostry kuliły stopy. Pantofelek był dla nich za mały.

– A może na mnie byłby ten pantofelek w sam raz? – zapytał cichutko Kopciuszek, wychylając się zza komina.

Siostry parsknęły niegrzecznym śmiechem, ale piękny dworak rzucił bystrym okiem na Kopciuszka i od razu zauważył, jaka to ślicznotka.

– Proszę usiąść! – powiedział. – Otrzymałem przecież rozkaz zmierzyć pantofelek wszystkim panienkom w okolicy. Proszę wyciągnąć stopkę... Oooo!

– Oooo... – powtórzyły siostry, ale zupełnie inaczej niż dworak, bo pantofelek z popieliczki nie tylko wszedł łatwo na stopę Kopciuszka, ale i leżał jak ulał.

Jakże zdziwiły się siostry! Ale nie koniec było niespodziankom, bo Kopciuszek wyciągnął z kieszeni fartucha drugi pantofelek od pary i włożył na drugą nóżkę.

– Doskonale! – odezwał się wesoły głos. To chrzestna matka zjawiła się nagle, jak zwykły zjawiać się wróżki, i dotknęła czarodziejską laseczką sukienczyny Kopciuszka, która w mgnieniu oka przemieniła się w srebrno-złotą balową suknię.

– Ach, ach! – zawołały siostry. – Więc to byłaś ty? Ty, Kopciuszek? Nigdy nie przyszło nam do głowy, że taka rzecz przytrafić się może!

– Nic dziwnego – powiedziała chrzestna matka.

Rzecz taka, jak wiadomo,
przytrafia się dość rzadko.
Lecz zdarza się, że komuś
jest wróżka – chrzestną matką.

Nie trzeba na to liczyć,
lecz rządzić się rozumem.
Ale każdemu życzę,
by wróżkę miał za kumę.

– A ja mam! A ja mam! – śmiał się Kopciuszek i klaskał w ręce. – Jaka jestem szczęśliwa!

– Przebacz nam, szczęśliwy Kopciuszku, nasze niegodne postępowanie! – zawołały siostry. – Już nigdy nie będziemy niedobre dla ciebie!

– Oczywiście! Już wam przebaczyłam – zawołał Kopciuszek, w którym nie było ani krzty zawziętości.

– Wszystko w porządku – powiedział uprzejmie piękny dworak. – Możemy więc spokojnie ruszyć do narzeczonego.

Wszyscy odprowadzili Kopciuszka do królewskiego pałacu. Królewicz nie posiadał się ze szczęścia i zachwycał się bezustannie swoją śliczną narzeczoną, królowa kiwała z uznaniem głową, a król, chociaż – jak wiadomo – był już dobrze stary, poszeptywał jej do ucha, że nigdy nie widział tak wdzięcznej twarzyczki.

Nie minęło parę dni, a już było po weselu. Młoda para żyła długo i szczęśliwie, bo nie może być inaczej, gdy ktoś poślubi Kopciuszka, dziewuszkę dobrą i pracowitą, której chrzestną matką jest wróżka.

Jakub i Wilhelm Grimm

Stoliczku, nakryj się!

Przed laty żył sobie krawiec, który miał trzech synów, a tylko jedną jedyną kozę. Ale że wszyscy żywili się jej mlekiem, więc dbali, aby koza miała dość paszy, i synowie co dzień po kolei paśli ją na łące.

Pewnego dnia najstarszy z braci zaprowadził kozę na cmentarz, gdzie pełno było bujnej trawy. Wieczorem, gdy czas już było wracać do domu, zapytał chłopiec kozy:

– Najadłaś się, kózko?

Kózka zaś odparła:

– Ach, mój drogi, ach, mój miły, tak najadłam się!

Nie zjem więcej ni ździebełka, me, me, me!

– Chodź więc do domu! – zawołał chłopiec, ujął ją za postronek i zaprowadził do obory.

– Czy dobrze dziś się koza napasła? – zapytał krawiec.

– O! – odparł syn. – Ani źdźbła już zjeść nie może.

Ale ojciec chciał się sam przekonać, czy to prawda, poszedł więc do obory i zapytał:

– Najadłaś się, kózko?

Kózka zaś odpowiada:

– Me, me, me,

Nie najadłam się!

Za trawką biegałam,

Dokoła szukałam,

Lecz nie było ni ździebełka, meee...

– A cóż to znowu! – zawołał krawiec oburzony, pobiegł do izby i przywołał syna:

– Kłamco! Powiedziałeś, że koza już syta, a ona nic nie jadła!

I w srogim gniewie chwycił drewnianą miarę, wygarbował chłopcu skórę i wygnał go za wrota.

Nazajutrz przyszła kolej na średniego brata. Ten wyszukał za ogrodem piękny kawałek łąki, gdzie rosły wonne zioła, i poprowadził tam kozę. Wieczorem, gdy czas już było do domu, zapytał chłopiec kozy:

– Najadłaś się, kózko?

Kózka zaś odparła:

– Ach, mój drogi, ach, mój miły, tak najadłam się!

Nie zjem więcej ni ździebełka, me, me, me!

– Chodź więc do domu! – zawołał chłopiec, ujął ją za postronek i zaprowadził do obory.

– Czy dobrze dziś się koza napasła? – zapytał krawiec.

– O! – odparł syn. – Ani źdźbła już zjeść nie może.

Ale ojciec chciał się sam przekonać, czy to prawda, poszedł więc do obory i zapytał:

– Najadłaś się, kózko?

Złośliwe zwierzę odpowiedziało:

– Me, me, me,

Nie najadłam się!

Za trawką biegałam,

Dokoła szukałam,

Lecz nie było ni ździebełka, meee...

– O kłamco nikczemny! – zawołał krawiec oburzony.

I tak się zezłościł, że w wielkim gniewie i oburzeniu kazał chłopcu wynosić się. Przywołał najmłodszego; to on teraz miał nakarmić kozę. Najmłodszy z braci zabrał kozę na wzgórze. Rosła tam obficie piękna trawa i kwiaty. Wieczorem, gdy czas już był do domu, zapytał się chłopiec kozy:

– Najadłaś się kózko?

Kózka zaś odparła:

– Ach mój drogi, ach, mój miły, tak najadłam się!

Nie zjem więcej ni ździebełka, me, me, me!

– Chodź więc do domu! – zawołał chłopiec, ujął ją za postronek i zaprowadził do obory.

– Czy dobrze dziś się koza napasła? – zapytał krawiec.

– O! odparł syn. – Ani źdźbła już nie może.

Ale ojciec chciał się sam przekonać, czy to prawda, poszedł więc do obory i zapytał:

– Najadłaś się kózko?

Kózka zaś odpowiada:

– Me, me, me.

Nie najadłam się!

Za trawką biegałam,

Dookoła szukałam,

Lecz nie było ni ździebełka, meee...

– O kłamco nikczemny! – zawołał krawiec oburzony.

– Nie jesteś lepszy od tamtych! Nie pozwolę się dłużej oszukiwać!

W gniewie tak wygarbował skórę najmłodszemu synowi, że ten wyskoczył za wrota jak oparzony.

Został więc stary krawiec sam z kozą. Nazajutrz wszedł do obory, pogłaskał kozę i rzekł:

– Pójdź, moje zwierzątko kochane, ja sam będę teraz dbał o ciebie.

Wziął ją na postronek i zaprowadził na łąkę, gdzie rosła najgęstsza trawa, i pomyślał:

„Teraz najesz się nareszcie do syta!" – I pozwolił jej paść się do wieczora.

Wieczorem zapytał krawiec:

– Najadłaś się, kózko?

A koza na to:

– Ach, mój drogi, ach, mój miły, tak najadłam się!
Nie zjem więcej ni ździebełka, me, me, me!

– Więc chodź do domu! – zawołał krawiec, ujął ją za postronek i zaprowadził do obory. Przed odejściem zapytał raz jeszcze:

– Więc już jesteś syta?

A koza na to:

– Me, me, me,
Nie najadłam się!
Za trawką biegałam,
Dokoła szukałam,
Lecz nie było ni ździebełka, meee...

Kiedy to krawiec usłyszał, zadziwił się i zrozumiał, że niesłusznie wygnał swoich synów.

– Poczekaj, ty niewdzięczne stworzenie! – zawołał. – Wygnać cię to za mało, muszę cię naznaczyć, żebyś nie mogła już przebywać wśród uczciwych krawców!

Pobiegł szybko do izby, przyniósł brzytwę, namydlił

kozie głowę i ogolił ją gładko jak dłoń. A że krawiecka miara wydawała mu się zbyt zaszczytnym narzędziem kary, przyniósł bicz i tak nim schłostał kozę, że uciekała co sił i nigdy już więcej nie wróciła.

Został więc krawiec sam i bardzo mu było smutno. Chętnie wziąłby synów z powrotem do domu, ale nikt nie wiedział, dokąd poszli.

Tymczasem najstarszy poszedł na naukę do stolarza, a uczył się tak pilnie, że gdy skończył się jego termin, majster dał mu w podarunku stolik, który wyglądał jak każdy inny drewniany stolik, ale miał pewną niezwykłą właściwość. Jeśli się zawołało: „Stoliczku, nakryj się!" – natychmiast stolik nakrywał się śnieżnobiałym obrusem, zjawiały się na nim talerze, nóż i widelec, i półmiski z pieczystym i innym najprzedniejszym jadłem, i puchar, w którym połyskiwało czerwone wino, aż się serce radowało człowiekowi na ten widok.

Czeladnik pomyślał sobie: „Tego starczy mi na całe życie!" – i wyruszył wesoło w świat, nie troszcząc się o to, czy znajdzie dobrą gospodę. Jeśli pogoda była ładna, wcale nie zajeżdżał do karczmy, lecz rozstawiał swój stolik na łące czy w lesie i mówił:

– Stoliczku, nakryj się! – a wnet zjawiało się wszystko, czego zapragnął.

Wreszcie postanowił powrócić do ojca, myśląc:

„Nie będzie się już chyba na mnie gniewał, kiedy mu przyniosę taki cudowny stoliczek".

Po drodze do domu zaszedł młody stolarz któregoś wieczora do karczmy, pełnej gości; ci zaprosili go do

swego stołu proponując mu, aby zjadł z nimi wieczerzę, gdyż nic już więcej u gospodarza nie dostanie.

– Nie – odparł stolarz – nie chcę wam zabierać tych
kilku kąsków, bądźcie raczej wy moimi gośćmi.

A kiedy wszyscy poczęli się śmiać sądząc, że to żarty,
ustawił na środku izby swój drewniany stolik i zawołał:

– Stoliczku, nakryj się!

W tejże chwili na stoliczku zjawiły się najlepsze potrawy i napoje.

– Jedzcie i pijcie, przyjaciele! – zawołał młody stolarz,
a goście nie dali sobie tego dwa razy powtarzać; chwy-
cili za noże i widelce i zabrali się do jedzenia.

A co najdziwniejsze, że gdy się jakiś półmisek opróż-
niał, natychmiast zjawiał się na jego miejscu nowy, pełny.

Karczmarz stał w kącie i przyglądał się temu. Z zazdro-
ści nie mógł wymówić ani słowa, myślał tylko ciągle:

„O, gdybym to ja miał taki stoliczek!"

Stolarz i jego goście bawili się i ucztowali do późna
w nocy. Wreszcie położyli się spać, a młodzieniec postawił swój cudowny stolik u wezgłowia łóżka. Ale
karczmarz nie mógł zasnąć i nagle przyszło mu do głowy, że ma w lamusie stolik bardzo podobny do tego cudownego stoliczka. Przyniósł go więc i cichutko zamie-
nił stolik cudowny na zwykły.

Nazajutrz stolarz zapłacił za nocleg, wziął stolik na
plecy nie podejrzewając nic złego i wyruszył w dalszą
drogę.

Koło południa przyszedł wreszcie do domu ojca. Stary krawiec powitał go z wielką radością.

– No, mój synu, czego się nauczyłeś? – zapytał.

– Zostałem stolarzem, ojcze.

– Bardzo dobre rzemiosło – odparł ojciec – a cóż sobie przyniosłeś z wędrówki?

– Ojcze, najcenniejsze, co przyniosłem, to ten stolik.

Krawiec obejrzał stolik ze wszystkich stron i rzekł:

– Nie widzę w nim nic nadzwyczajnego, ot, zwykły stolik.

– Nie, ojcze, to jest stolik cudowny! – odparł syn. – Wystarczy, abym zawołał: „Stoliczku, nakryj się", a wnet zjawią się na nim tak wspaniałe potrawy i wina, że aż się serce raduje. Zaproś tylko, ojcze, wszystkich krewnych i przyjaciół, a wnet urządzę im ucztę i wszystkich nakarmię do syta!

Kiedy się wszyscy zeszli, stolarz postawił stolik na środku pokoju i zawołał:

– Stoliczku, nakryj się!

Ale stoliczek ani drgnął, jak każdy zwykły stół, który nie rozumie ludzkiej mowy. Wówczas zrozumiał nieszczęsny młodzieniec, że został oszukany. Krewni zaś wyśmiali go i musieli z pustymi żołądkami wracać do domu.

Ojciec wziął się z powrotem do swego rzemiosła, a syn przyjął robotę u stolarza.

Drugi z synów poszedł na naukę do młynarza. Gdy minął jego termin, rzekł doń majster:

– Bardzo byłem z ciebie zadowolony, a w nagrodę dam ci tego osiołka. Nie pociągnie on wozu ani ciężarów nie poniesie, ale ma za to inną właściwość.

– Na cóż on się zda w takim razie? – zapytał młodzieniec.

– Jeśli tylko rozłożysz przed nim chustkę – odpowiedział młynarz – i zawołasz: „Osiołku, kładź się!" – natychmiast zaczną się sypać z niego złote dukaty.

– To wspaniale! – wykrzyknął czeladnik, podziękował majstrowi i zadowolony ruszył w świat. Kiedy mu zabrakło pieniędzy, rozkładał tylko przed osiołkiem chustkę i wołał: – Osiołku, kładź się! – a natychmiast miał złota pod dostatkiem. Nie miał nic innego do roboty, tylko je zbierał z ziemi. Gdziekolwiek więc przyszedł, przyjmowano go chętnie, gdyż zawsze miał pełną sakiewkę.

Kiedy tak już przez pewien czas wędrował po świecie, zapragnął wreszcie wrócić do ojca.

„Nie będzie się już chyba gniewał na mnie – pomyślał – kiedy mu takiego osiołka przyprowadzę!"

Zdarzyło się, że i drugi z braci przyszedł do tej samej karczmy, w której pierwszego oszukano. Kiedy karczmarz podszedł do niego, aby zaprowadzić osła do stajni, rzekł młodzieniec:

– Dziękuję, sam się zajmę swoim rumakiem. Muszę wiedzieć, gdzie stoi.

Karczmarzowi wydało się to dziwne i pomyślał, że gość, który sam się opiekuje swoim osłem, z pewnością mało ma pieniędzy. Ale gdy młodzieniec wyjął z kieszeni dwie sztuki złota i kazał sobie podać za to coś dobrego do jedzenia, zrobił karczmarz wielkie oczy i co sił w nogach pobiegł po najlepsze potrawy.

Po obiedzie gość zapytał o należność. Karczmarz nie żałował przy rachunku kredy i kazał sobie jeszcze dwie sztuki złota dopłacić. Młodzieniec sięgnął do kieszeni, ale spostrzegł, że nic już w niej nie ma. Rzekł więc do karczmarza:

– Zaczekajcie chwileczkę, zaraz wam przyniosę pieniądze. – I wyszedł z izby zabierając z sobą chustkę.

Karczmarz był ciekaw, co to ma znaczyć, pobiegł więc za nim ukradkiem, a że młodzieniec zamknął za sobą drzwi stajni, począł podglądać przez szparę we drzwiach.

Gość rozłożył przed osiołkiem chustkę i zawołał: – Osiołku, kładź się! – a wnet na ziemię poczęły spadać złote dukaty.

– Ej, do licha! – zawołał karczmarz. – Gdybym to ja miał taką żywą sakiewkę!

A kiedy gość zapłacił należność i położył się spać, karczmarz zakradł się do stajni, uprowadził złotodajnego osiołka i podstawił innego, z którego oczywiście złoto się nie sypało.

Nazajutrz młodzieniec wyruszył ze swoim osiołkiem w dalszą drogę, niczego nie podejrzewając.

Koło południa przyszedł wreszcie do ojca, który przyjął go z radością i zapytał:

– Jakiego rzemiosła nauczyłeś się, synu?

– Zostałem młynarzem, ojcze – odparł młodzieniec.

– A cóż przyniosłeś sobie z wędrówki?

– Nic oprócz tego osiołka.

– Osłów dość tu mamy – rzekł ojciec – lepiej byś się postarał o kozę.

– Tak – odparł syn – ale to nie jest zwyczajny osioł! Jeśli zawołam tylko: „Osiołku, kładź się!" – natychmiast polecą na ziemię najczystsze dukaty. Zaproś tylko wszystkich krewnych i przyjaciół, a obdaruję ich hojnie.

– A, to pięknie! – zawołał krawiec. – Będę więc mógł rzucić swą igłę i żyć spokojnie aż do śmierci.

Kiedy się zeszli wszyscy krewni, młody młynarz rozłożył przed osłem chustkę i zawołał:

– Osiołku, kładź się!

Ale osioł nie począł bynajmniej sypać złotem i biedny młynarz przekonał się, że został oszukany. Krewni wyśmiali go i poszli do domu z pustymi kieszeniami. Stary krawiec zaś wziął się znowu do pracy, a syn zgodził się do młynarza.

Najmłodszy z braci poszedł na naukę do tokarza, a że jest to trudne rzemiosło, musiał uczyć się najdłużej. Dowiedział się z listów braci, jak ich zły karczmarz oszukał.

Kiedy skończył się jego termin, majster podarował mu stary worek, w którym leżały dwa kije dębowe.

– Worek przyda mi się w drodze – rzekł młodzieniec – ale na co mi kije? Zawadzają mi tylko!

– Nie mów tego – rzekł majster. – Nie są to zwykłe kije. Jeśli ci ktoś coś złego zrobi, zawołaj tylko: „Bijcie, kije-samobije!", a kije wnet wyskoczą z worka i póty bić będą, póki nie zawołasz: „Dość już, kije-samobije!"

Czeladnik podziękował mu, wziął worek i ruszył w drogę. Gdy tylko ktoś chciał mu coś złego zrobić, wołał: – „Bijcie, kije-samobije!" – a wnet kije wyskakiwały z worka w jego obronie.

Pod wieczór przybył młody tokarz do karczmy, gdzie nocowali kiedyś jego bracia. Położył worek na stole i począł opowiadać o dziwach, jakie widział na świecie.

– Tak – rzekł – widuje się wprawdzie cudowne stoliki, co się nakrywają na rozkaz, osiołki złotodajne i inne wspaniałe rzeczy, którymi bym nie pogardził, ale wszystko to jest niczym wobec skarbu, który mam w tym worku.

Karczmarz nadstawił uszu.

„Cóż tam może być takiego? – pomyślał. – Worek jest pewnie pełen klejnotów! Muszę go zobaczyć koniecznie!"

Nadeszła pora snu, gość wyciągnął się na ławie i podłożył worek pod głowę. Gdy karczmarz sądził, że tokarz śpi już, wyciągnął mu ostrożnie worek spod głowy, chcąc podsunąć inny, podobny. Ale młodzieniec czuwał i czekał tylko na to. Jak tylko karczmarz zaczął się oddalać, zawołał:

– Bijcie, kije-samobije!

Kije wyskoczyły wnet z worka i poczęły okładać złego karczmarza. Karczmarz krzyczał i błagał o litość, ale kije nie zważały na nic i im głośniej krzyczał, tym mocniej go biły, aż padł wreszcie wyczerpany na ziemię.

Wówczas tokarz rzekł:

– Jeśli nie oddasz natychmiast cudownego stolika i złotodajnego osiołka, kije rozpoczną taniec od nowa.

– Zlituj się! – zawołał karczmarz. – Oddam ci wszystko, tylko uwolnij mnie od tych kijów.

– Dobrze – odparł tokarz – okażę ci łaskę, ale natychmiast dasz mi stolik i osiołka! – Potem zawołał: – Dość już kije-samobije! – a kije powróciły do worka.

Nazajutrz wyruszył tokarz ze stolikiem i osiołkiem w dalszą drogę, a koło południa przybył do domu. Ojciec ucieszył się na jego widok i zapytał, jakiego rzemiosła się nauczył.

– Drogi ojcze – odparł syn – zostałem tokarzem.

– Bardzo piękne rzemiosło – rzekł krawiec. – A co sobie z drogi przyniosłeś?

– Cenną rzecz, ojcze – odrzekł syn – dwa kije dębowe w worku!

– Co?! – krzyknął krawiec. – Kije?! Czy warto się było trudzić! Mogłeś je sobie i tu uciąć w lesie.

– Ale nie takie, kochany ojcze. Gdy tylko powiem: „Bijcie kije-samobije!" – natychmiast wyskakują z worka i tak długo biją tego, kto mnie skrzywdził, póki nie zawołam: „Dość już, kije-samobije!". Dzięki tym oto kijom odzyskałem cudowny stoliczek i złotodajnego osiołka. Sproś natychmiast krewnych i przyjaciół, a ugoszczę ich i obdaruję.

Stary krawiec nie bardzo temu wierzył, ale jednak zaprosił krewnych. Wówczas tokarz rozłożył przed osiołkiem chustę i rzekł do młynarza:

– Teraz, drogi bracie, porozmawiaj z nim!

– Osiołku, kładź się! – zawołał młynarz i w tejże chwili na chustkę padać poczęły dukaty, a goście napełniali sobie nimi kieszenie (Przypuszczam, że i ty chętnie byłbyś przy tym!).

Potem tokarz postawił na środku izby stolik i rzekł do stolarza:

– Drogi bracie, porozmawiaj z nim teraz!

I zaledwie stolarz zawołał: „Stoliczku, nakryj się!" – zjawiły się na stoliku najlepsze potrawy. Odbyła się więc taka wspaniała uczta, jakiej biedny krawiec nigdy w życiu nie widział, a krewni pozostali w jego domu jeszcze przez trzy dni, tak długo bowiem weselili się i cieszyli. Krawiec zamknął igłę i naparstek, miarę i żelazko do szafy i żył z trzema synami w radości i dobrobycie przez długie, długie lata.

Ażeby mu się nie nudziło, kupił sobie inną kozę, którą codziennie sam pasł na łące. Ponieważ nowa koza nie nauczyła się mówić, nie skarżyła się nigdy, że jest głodna, i meczała tylko: „Mee, mee".

A co się stało z pierwszą kozą, z której winy stary krawiec wygnał synów w świat?

Zaraz wam opowiem.

Koza wstydziła się ogolonej głowy i ukryła się w lisiej norze. Gdy lis wrócił wieczorem do domu, zobaczył dwoje oczu świecących w ciemnościach – zląkł się i uciekł.

Spotkał go niedźwiedź i na widok przerażonej miny lisa zapytał:

– Co ci się stało, bracie lisie?

– Ach – odparł rudzielec – jakieś straszne zwierzę siedzi w mojej norze i spogląda na mnie ognistymi oczami.

– Zaraz je wyrzucimy – rzekł niedźwiedź, poszedł do nory lisa i zajrzał do środka. Ale gdy ujrzał ogniste oczy, opadła go trwoga. Nie chciał mieć do czynienia z nieznanym potworem i uciekł.

Spotkała go pszczoła i gdy zauważyła, że niedźwiedź nie zachowuje się tak jak zwykle, zapytała:

– Co ci jest, kudłaczku, gdzie się podział twój dobry humor?

– Łatwo ci mówić – odpowiedział niedźwiedź – w norze lisa siedzi jakiś straszny zwierz z ognistymi oczami i nie mogliśmy sobie z nim poradzić.

Pszczoła odpowiedziała:

– Wierz mi, niedźwiedziu, jestem małym, słabym stworzeniem, które nikomu nie wchodzi w drogę, ale sądzę, że potrafię wam pomóc.

Pofrunęła do lisiej nory, usiadła kozie na ogolonej głowie i użądliła ją z całej siły.

Koza wrzasnęła: „Mee, mee!", i wzięła nogi za pas.

I do tej pory nikt nie wie, co się z nią stało.

Jakub i Wilhelm Grimm

Gęsiareczka

Żyła sobie niegdyś pewna królowa, której mąż umarł dawno i została jej tylko piękna córeczka. Kiedy dorosła, przyobiecano ją pewnemu królewiczowi w odległym królestwie.

Gdy nadszedł czas ślubu i dziewczynka miała odjechać w kraj daleki, dała jej matka wiele kosztownych sprzętów i klejnotów, złota, srebra i kamieni drogocennych, słowem – wszystkiego, co należy do wyprawy królewny. Stara królowa bardzo bowiem kochała swą córkę. Dała jej też damę dworu, która przyrzekła opiekować się nią w drodze i oddać królewnę w ręce narzeczonego. Każda dostała na drogę konia, koń zaś królewny nazywał się Falada i umiał mówić.

Gdy nadeszła chwila rozstania, poszła matka do swego pokoiku i zacięła się nożem w palec, potem podłożyła białą szmatkę, aby trzy krople krwi spłynęły na nią; dała tę szmatkę córce nie mówiąc jej, co to jest, i rzekła:

– Drogie dziecko, schowaj to dobrze, przyda ci się w drodze.

Pożegnały się więc z żalem, a królewna schowała szmatkę na piersi, siadła na konia i ruszyła w drogę.

Po godzinie jazdy uczuła królewna silne pragnienie i rzekła do damy dworu:

– Zejdź z konia i nabierz mi moim pucharem, który wzięłaś z sobą, trochę wody ze strumyka, bardzo jestem spragniona.

Ale dama dworu odparła:

– Jeśli masz pragnienie, zejdź z konia, nachyl się nad strumykiem i napij się. Ja ci usługiwać nie będę!

Zsiadła więc królewna z konia, pochyliła się na źródłem i ugasiła pragnienie, ale złotego pucharu nie dostała.

– Ach, Boże! – rzekła płacząc:

A trzy krople krwi odparły:

– Gdyby to matka twa widziała, serce by pękło jej z żałości!

Ale królewna była pokorna, nie skarżyła się więc i siadła z powrotem na konia. Ujechały tak jeszcze kilka mil, ale że dzień był gorący, królewna znowu uczuła pragnienie i zapomniawszy o złych słowach poprzednich, rzekła do damy dworu:

– Zejdź z konia i nabierz mi moim pucharem trochę wody ze źródła, bardzo jestem spragniona.

Ale dama dworu odparła:

– Jeśli masz pragnienie, zejdź z konia, nachyl się nad wodą i napij. Ja ci usługiwać nie będę!

Zsiadła więc królewna z konia, pochyliła się nad źródłem i ugasiła pragnienie.

– Ach, Boże! – rzekła płacząc.

A trzy krople odparły:

– Gdyby to matka twa widziała, serce by pękło jej z żałości!

Ale kiedy królewna piła, szmatka z trzema kroplami krwi matczynej wypadła jej z zanadrza i popłynęła z wodą, a królewna nie spostrzegła tego. Ujrzała to jednak zła dwórka i uradowała się, że zdobędzie moc nad królewną, gdyż tracąc trzy krople krwi matczynej stawała się ona słaba i bezbronna.

Kiedy więc królewna chciała wsiąść z powrotem na konia, dama dworu zawołała:

– Falada należy do mnie, a ty siadaj na mego rumaka!

I biedna królewna musiała zgodzić się na to.

Potem dama dworu kazała jej zdjąć szaty królewskie i włożyć inne suknie, a wreszcie musiała królewna przysiąc w obliczu niebios, że żadnemu człowiekowi na dworze królewskim nie powie o tym ani słowa. Królewna przysięgła pod groźbą śmierci, ale Falada słyszała wszystko i zapamiętała.

Dama dworu siadła więc na Faladę, a królewna na jej konia i ruszyły dalej, aż przybyły wreszcie do zamku królewskiego. Wielka była radość z ich przybycia, a królewicz wybiegł im naprzeciw i zdjął damę dworu z konia sądząc, że to jego narzeczona. Wprowadzono ją po marmurowych schodach, prawdziwa zaś królewna musiała pozostać na dole.

Tymczasem stary król wyjrzał przez okno i zobaczył, że piękną dzieweczkę pozostawiono na dziedzińcu, i zadziwił się jej urodzie i delikatności. Udał się więc do komnaty narzeczonej i zapytał fałszywej królewny, kto to jest.

– Wzięłam ją po drodze do towarzystwa; dajcie tej dziewce coś do roboty, żeby nie próżnowała.

A król nie wiedział, jaką by jej dać robotę, i rzekł:

– Mam tu chłopca małego, który pasa gęsi, niechaj mu pomaga.

Chłopiec nazywał się Kostuś i prawdziwa królewna musiała z nim pasać gęsi.

Fałszywa zaś narzeczona rzekła do młodego króla:

– Najdroższy małżonku, uczyń mi przysługę.

Królewicz zaś odparł:

– Wszystko, czego zapragniesz!

– Zawołaj więc oprawcę i każ obciąć głowę koniowi, na którym przyjechałam, gdyż rozgniewał mnie po drodze.

W rzeczywistości zaś bała się fałszywa królewna, że Falada, która umiała mówić, mogłaby ją zdradzić.

Musiała więc biedna Falada umrzeć.

A gdy się o jej śmierci dowiedziała prawdziwa królewna, obiecała oprawcy złotego dukata za drobną przysługę: w mieście była wielka, ciemna brama i tędy gnała królewna gęsi co rano i wieczór. Prosiła go więc, aby zawiesił nad tą bramą głowę Falady, żeby ją mogła widywać jeszcze. Oprawca przyrzekł jej to i zawiesił głowę Falady nad ciemnymi wrotami.

Gdy królewna szła rano z Kostusiem na łąkę, rzekła przechodząc obok głowy:

– O Falado, wisisz nad wrotami!

A głowa Falady odparła:

– O królewno, biegasz za gąskami!
Gdyby to matka twa widziała,

Serce by pękło jej z żałości!

Poszła więc królewna cicho za miasto, goniąc przed sobą gęsi. A gdy przyszła na łąkę, siadła i rozpuściła włosy, całe niby ze szczerego złota. Kostuś zaś patrzył na nią radując się ich blaskiem i chciał jej odciąć pukiel.

Wówczas królewna zawołała:

– Powiej, powiej, wiaterku,
porwij czapkę Kostusiowi,
niech ją goni, niech ją łowi,
aż ja złote włosy rozplotę
i uczeszę, i na powrót zaplotę!

Wówczas zerwał się silny wiatr, porwał Kostusiowi czapkę, a chłopiec biegł za nią i biegł, a zanim powrócił, królewna już skończyła czesanie.

Rozgniewał się Kostuś i nic nie mówił do niej, aż nadszedł wieczór i pognali gęsi z powrotem.

Nazajutrz rano, przechodząc pod bramą, rzekła znowu królewna:

– O Falado, wisisz nad wrotami!

A głowa Falady odparła:

– O królewno, biegasz za gąskami!
Gdyby to matka twa widziała,
Serce by pękło jej z żałości!

A na łące poczęła czesać włosy i Kostuś chciał znowu obciąć jej pukiel.

Lecz królewna zawołała:

– Powiej, powiej, wiaterku,
porwij czapkę Kostusiowi,
niech ją goni, niech ją łowi,

aż ja złote włosy rozplotę

i uczeszę, i na powrót zaplotę!

Ale wieczorem poszedł Kostuś do króla i opowiedział mu wszystko.

Stary król kazał mu wygnać rano gęsi z gęsiareczką, sam zaś ukrył się w ciemnej bramie. I usłyszał, jak królewna zawołała:

– O Falado, wisisz nad wrotami!

A głowa Falady odparła:

– O królewno, biegasz za gąskami!

Gdyby to matka twa widziała,

Serce by pękło jej z żałości!

Poszedł więc za nimi na łąkę i ukrył się w krzakach. Z ukrycia ujrzał, jak gęsiareczka rozplotła włosy i jak Kostuś chciał jej obciąć pukiel. Wówczas dziewczynka zawołała:

– Powiej, powiej, wiaterku,

porwij czapkę Kostusiowi,

niech ją goni, niech ja łowi,

aż ja złote włosy rozplotę

i uczeszę, i na powrót zaplotę!

I wnet zerwał się silny wiatr i porwał czapkę Kostusiowi pędząc ją przez pole, póki gęsiarka nie zaplotła złotych włosów.

Krol nie dostrzeżony wrócił do domu, a gdy gęsiareczka przyszła wieczorem z łąki, zawołał ją do siebie i zapytał, co to wszystko ma znaczyć.

– Tego nie mogę wam, panie, rzec, przysięgłam bowiem wobec niebios, że żadnemu człowiekowi tego nie powiem – rzekła gęsiarka.

Król nalegał, ale nic z niej wydobyć nie mógł. Rzekł więc wreszcie:

– Jeśli nie możesz tego powiedzieć żadnemu człowiekowi, to użal się przed piecem. – I wyszedł z komnaty.

Królewna weszła do pieca, zapłakała gorzko i rzekła:

– Otom jest przez cały świat opuszczona, a jestem przecie królewską córką; fałszywa dama dworu zmusiła mnie do oddania jej mych sukien królewskich i zajęła moje miejsce u boku królewicza, gdy ja muszę gęsi pasać... Gdyby to moja matka widziała, serce by pękło jej z żałości.

Król zaś stał na dachu u wylotu komina i słyszał wszystko. Zszedł więc i kazał jej wyjść z pieca.

Ubrano ją w szaty królewskie i wówczas dopiero ujrzeli wszyscy, jak była piękna. Król wezwał swego syna i opowiedział mu wszystko. Królewicz uradował się bardzo, że ma tak piękną i cnotliwą narzeczoną.

Wyprawiono zaraz wielką ucztę, na którą sproszono mnóstwo gości. Na końcu stołu siedział królewicz, po obu stronach królewicza fałszywa i prawdziwa narzeczona. Ale dama dworu tak była zaślepiona, że nie poznała królewny, której się tu zresztą nie mogła spodziewać.

Podczas uczty dał król damie dworu zagadkę: na co zasłużyłby ktoś taki, który by tak a tak postąpił, i opowiedział przy tym własne jej przestępstwo.

A na to fałszywa narzeczona:

– Dwórka taka nie byłaby niczego więcej warta jak wygnania.

– Otoś wydała wyrok na siebie! – zawołał król i kazał wygnać ją z kraju.

A królewicz ożenił się z królewną i przez długie lata panowali oboje w szczęściu i pokoju.

Jan Christian Andersen

Księżniczka na ziarnku grochu

Był sobie pewnego razu książę, który chciał się żenić z księżniczką, ale to musiała być prawdziwa księżniczka. Jeździł więc po świecie, żeby znaleźć prawdziwą księżniczkę, ale gdy tylko jakąś znalazł, okazywało się, że ma jakieś „ale". Księżniczek było dużo, jednak książę nigdy nie mógł zdobyć pewności, że to były prawdziwe księżniczki. Zawsze było tam coś niezupełnie w porządku.

Wrócił więc do domu i bardzo się martwił, bo tak ogromnie chciał mieć za żonę prawdziwą księżniczkę.

Pewnego wieczoru była okropna pogoda: błyskało i grzmiało, a deszcz lał jak z cebra; było strasznie. Nagle zapukał ktoś do bramy miasta i stary król wyszedł otworzyć.

Przed bramą stała księżniczka. Ale, mój Boże, jakże wyglądała, co uczyniły z niej deszcz i słota! Woda spływała z włosów i sukien, wlewała się strumykiem do trzewiczków i wylewała się piętami, ale dziewczynka powiedziała, że jest prawdziwą księżniczką.

„Zaraz się o tym przekonamy" – pomyślała stara królowa, ale nie powiedziała ani słowa, poszła do sypialni, zdjęła całą pościel, na spód łóżka położyła ziarnko grochu i ułożyła jeden na drugim dwadzieścia materaców na tym ziarnku grochu, a potem jeszcze dwadzieścia puchowych pierzyn na tych materacach.

I na tym posłaniu miała spać księżniczka. Rano królowa zapytała ją, jak spędziła noc.

– O, bardzo źle – powiedziała księżniczka – całą noc oka nie mogłam zmrużyć! Nie wiadomo, co tam było w łóżku. Musiałam leżeć na czymś twardym, bo mam całe ciało brązowe i niebieskie od sińców. To straszne!

Wtedy mieli już pewność, że była to prawdziwa księżniczka, skoro przez dwadzieścia materaców i dwadzieścia puchowych pierzyn poczuła ziarnko grochu. Taką delikatną skórę mogła mieć tylko prawdziwa księżniczka.

Książę wziął ją za żonę, bo teraz był pewien, że to prawdziwa księżniczka, a ziarnko grochu oddano do muzeum, gdzie jeszcze teraz można je oglądać, o ile go ktoś nie zabrał.

Widzicie, to była prawdziwa historia!

Jan Christian Andersen

Dziewczynka z zapałkami

Było bardzo zimno; śnieg padał i zaczynało się już ściemniać; był to ostatni dzień w roku, wigilia Nowego Roku. W tym chłodzie i w tej ciemności szła ulicami biedna dziewczynka z gołą głową i boso; miała wprawdzie trzewiki na nogach, kiedy wychodziła z domu, ale co to znaczyło! To były bardzo duże trzewiki, nawet jej matka ostatnio je wkładała, tak były duże, i mała zgubiła je zaraz, przebiegając ulicę, którą pędem przejeżdżały dwa wozy; jednego trzewika nie mogła znaleźć, a z drugim uciekł jakiś urwis; wołał, że przyda mu się on na kołyskę, kiedy już będzie miał dziecko.

Szła więc dziewczynka boso, stąpała nóżkami, które poczerwieniały i zsiniały z zimna; w starym fartuchu niosła zawiniętą całą masę zapałek, a jedną wiązkę trzymała w ręku; przez cały dzień nie sprzedała ani jednej; nikt jej nie dał przez cały dzień ani grosika; szła taka głodna i zmarznięta i była bardzo smutna, biedactwo! Płatki śniegu padały na jej długie, jasne włosy, które tak pięknie zwijały się na karku, ale ona nie myślała wcale o tej ozdobie.

Ze wszystkich okien naokoło połyskiwały światła i tak miło pachniało na ulicy pieczonymi gęśmi.

„To przecież jest wigilia Nowego Roku" – pomyślała dziewczynka.

W kącie między dwoma domami, z których jeden bardziej wysuwał się na ulicę, usiadła i skurczyła się cała; małe nożyny podciągnęła pod siebie, ale marzła coraz bardziej, a w domu nie mogła się pokazać, bo przecież nie sprzedała ani jednej zapałki, nie dostała ani grosza, ojciec by ją zbił, a w domu było tak samo zimno, mieszkali na strychu pod samym dachem i wiatr hulał po izbie, chociaż największe szpary w dachu zatkane były słomą i gałganami. Jej małe ręce prawie całkiem zamarzły z tego chłodu. Ach, jedna mała zapałka, jakby to dobrze było. Żeby tak wyciągnąć jedną zapałkę z wiązki, potrzeć ją o ścianę i tylko ogrzać paluszki! Wyciągnęła jedną i „trzask!", jak się iskrzy, jak płonie mały, ciepły, jasny płomyczek niby mała świeczka otoczona dłońmi! Dziwna to była świeca; dziewczynce zdawało się, że siedzi przed wielkim, żelaznym piecem o mosiężnych drzwiczkach i ozdobach; ogień palił się w nim tak łaskawie i grzał przyjemnie; ach, jakież to było rozkoszne! Dziewczynka wyciągnęła przed siebie nóżki, aby je rozgrzać także – a tu płomień zgasł. Piec znikł – a ona siedziała z niedopałkiem siarnika w dłoni.

Zapaliła nowy, palił się i błyszczał, a gdzie cień padł na ścianę, stała się ona przejrzysta jak muślin; ujrzała wnętrze pokoju, gdzie stał stół przykryty białym, błyszczącym obrusem, nakryty piękną porcelaną, a na półmisku smacznie dymiła pieczona gęś, nadziana śliwkami i jabłkami; a co jeszcze było wspanialsze, gęś

zeskoczyła z półmiska i zaczęła się czołgać po podłodze, z widelcem i nożem wbitym w grzbiet; doczołgała
się aż do biednej dziewczynki; aż tu nagle zgasła zapałka i widać było tylko nieprzejrzystą, zimną ścianę.

Zapaliła nowy siarnik. I oto siedziała pod najpiękniejszą choinką; była ona jeszcze wspanialsza i piękniej
ubrana niż choinka u bogatego kupca, którą ujrzała
przez szklane drzwi podczas ostatnich świąt.

Tysiące świeczek płonęło na zielonych gałęziach, a ko-
lorowe obrazki takie, jakie zdobiły okna sklepów, spozie-
rały ku niej. Dziewczynka wyciągnęła do nich rączki –
ale tu zgasła zapałka; mnóstwo światełek choinki wznio-
sło się ku górze, coraz wyżej i wyżej i oto ujrzała ona, że
były to tylko jasne gwiazdy, a jedna z nich spadła właśnie i zakreśliła na niebie długi, błyszczący ślad.

– Ktoś umarł! – powiedziała malutka, gdyż jej stara
babka, która jedyna okazywała jej serce, ale już umar-
ła, powiadała zawsze, że kiedy gwiazdka pada, dusza
ludzka wstępuje do Boga.

Dziewczynka znowu potarła siarnikiem o ścianę, zaja-
śniało dookoła i w tym blasku stanęła przed nią stara
babunia, taka łagodna, taka jasna, taka błyszcząca i taka kochana.

– Babuniu – zawołała dziewczynka – o, zabierz mnie
z sobą! Kiedy zapałka zgaśnie, znikniesz jak ciepły piec,
jak gąska pieczona i jak wspaniała, olbrzymia choinka! –
i szybko potarła wszystkie zapałki, jakie zostały w wiąz-
ce, chciała jak najdłużej zatrzymać przy sobie babkę,
i zapałki zabłysły takim blaskiem, iż stało się jaśniej

niż za dnia. Babunia nigdy przedtem nie była taka piękna i taka wielka; chwyciła dziewczynkę w ramiona i poleciały w blasku i w radości wysoko, a tam już nie było ani chłodu, ani strachu – były bowiem u Boga.

A kiedy nastał zimny ranek, w kąciku przy domu siedziała dziewczynka z czerwonymi policzkami, z uśmiechem na twarzy – nieżywa: zamarzła na śmierć ostatniego wieczora minionego roku. Ranek noworoczny oświetlił martwą postać trzymającą w ręku zapałki, z których garść była spalona. Chciała się ogrzać, powiadano; ale nikt nie miał o tym pojęcia, jak piękne rzeczy widziała dziewczynka i w jakim blasku wstąpiła ona razem ze starą babką w szczęśliwość Nowego Roku.

Jan Christian Andersen

Brzydkie kaczątko

Jakże pięknie było na wsi! Lato było w pełni! Żółciło się żyto, zielenił owies, siano na zielonej łące ułożono w stogi, bocian chodził na długich, czerwonych nogach i paplał po egipsku; nauczył się bowiem tego języka od matki. Wokoło łąk i pól ciągnęły się wielkie lasy, w lasach leżały głębokie jeziora – tak, na wsi było naprawdę prześlicznie. W blasku słońca, otoczony głębokimi rowami, stał tam stary dwór; od muru aż po brzeg wody rosły liście łopianu, a były tak wielkie, że pod największymi mogły się zmieścić stojące dzieci; było tam tak dziko, jak w najgęstszym lesie.

W tym to gąszczu siedziała w swym gnieździe kaczka, wysiadywała pisklęta, nudziła się, bo trwało to bardzo długo, a rzadko kto ją odwiedzał; inne kaczki wolały pływać po kanałach niż wchodzić pod liście łopianu, aby z nią pogadać.

Aż wreszcie jedno jajko po drugim zaczęło pękać, słychać tylko było: „Pip, pip!", wszystkie żółtka ożyły i wytknęły główki.

„Kwa, kwa!" – mówiła kaczka, a pisklęta hałasowały, jak tylko umiały najgłośniej, i rozglądały się pod zielonymi liśćmi na wszystkie strony; matka pozwalała im

patrzeć, ile tylko chciały, bo zielony kolor jest zdrowy dla oczu.

– Jaki świat jest wielki! – mówiły kaczęta, gdyż było im o wiele luźniej niż przedtem, kiedy leżały w skorupie.

– Czy myślicie, że to jest cały świat? – powiedziała matka. – Świat ciągnie się jeszcze daleko po drugiej stronie ogrodu, aż do księżego pola, ale nigdy tam jeszcze nie byłam. Czy jesteście już wszystkie? – Potem wstała. – Nie, to jeszcze nie wszystkie; największe jajko jeszcze nie pękło. Jak długo to ma trwać? Teraz mam już naprawdę tego dosyć! – I znowu usiadła.

– No, co słychać? – spytała stara kaczka, która przyszła ją odwiedzić.

– Z jednym najdłużej się ciągnie! – odpowiedziała kaczka siedząca na jajkach. – Wcale nie chce się otworzyć. Ale zobacz te inne. Są to najpiękniejsze kaczęta, jakie kiedykolwiek widziałam. Wszystkie podobne są do ojca: tego nicponia. Zupełnie do mnie nie przychodzi!

– Pokaż mi jajko, które nie chce pęknąć – powiedziała stara. – Możesz mi wierzyć, że to jest jajko indycze. I mnie już tak nieraz oszukali, i potem miałam wiele kłopotów i trudów z malcami, gdyż bały się wody. Nie mogłam sobie dać rady, popychałam, krzyczałam, ale to nic nie pomagało. Pokaż mi to jajko! Tak, to jest indycze. Porzuć je i ucz inne dzieci pływać!

– Jednak jeszcze trochę na nim posiedzę! – powiedziała kaczka. – Tak długo już siedziałam, że jeszcze mogę parę dni wytrzymać!

– Jak uważasz! – odrzekła stara kaczka i poszła sobie.

Wreszcie duże jajo pękło. „Pip, pip!" – zapiszczało pisklątko i wylazło; było bardzo duże i brzydkie. Kaczka przyjrzała mu się.

– Jakież to kaczątko jest duże – powiedziała. – Niepodobne do żadnego innego. Ale nie jest to chyba pisklę indycze? No, zaraz się o tym przekonamy. Musi wejść do wody, nawet gdybym je miała sama tam wepchnąć.

Nazajutrz była piękna pogoda; słońce oświetlało wielkie liście łopianu. Matka-kaczka wraz z całą rodziną zeszła do kanału. Plusk! Wskoczyła do wody. „Kwa, kwa!" i jedno kaczątko po drugim plusnęło do kanału. Woda zalewała im głowy, ale podnosiły je zaraz w górę i pływały wspaniale; nogi same się poruszały, wszystkie były w wodzie, nawet brzydkie, szare kaczątko pływało razem z innymi.

– Nie, to nie jest indyk! – powiedziała kaczka. – Spójrz tylko, jak ładnie porusza nogami, jak prosto się trzyma. To moje własne dziecko. W gruncie rzeczy, kiedy mu się dobrze przyjrzeć, jest zupełnie ładne. Kwa, kwa! Chodźcie teraz ze mną, wyprowadzę was w świat, przedstawię was na podwórku, ale trzymajcie się zawsze w pobliżu, aby nikt na was nie nastąpił, i strzeżcie się kota!

Przyszły na podwórko. Był tam straszny hałas, gdyż dwie rodziny pokłóciły się o głowę węgorza, którą w końcu złapał kot.

– Widzicie, jak się to dzieje na tym świecie! – powiedziała matka-kaczka oblizując sobie dziób, gdyż i ona miała ochotę na głowę węgorza. – Ruszajcie nogami – mówiła – kołyszcie się i ukłońcie się tej starej kaczce, jest najwykwintniejszą ze wszystkich, jakie są tutaj. Ma w sobie hiszpańską krew i dlatego jest taka gruba; widzicie, ma na nodze zawiązany czerwony gałganek. To jest najwyższa odznaka, jaką kaczka może otrzymać, oznacza to, że obawiają się, aby nie zginęła, i że ludzie i zwierzęta będą ją mogli odróżnić od innych kaczek. Kołyszcie się! Nogi stawiać nie do środka. Dobrze wychowane kaczątko rozstawia szeroko nogi jak ojciec i matka. Tak, a teraz kiwnijcie głowami i powiedzcie: Kwa!

Tak też robiły. Ale inne kaczki patrzyły na nie i mówiły głośno:

– Ach, Boże po cóż nam to towarzystwo? Jakby nas nie było i tak dosyć. Fe, jak wygląda tamto kaczątko! Nie chcemy go tu mieć między nami! – I zaraz potem jedna z kaczek podfrunęła i dziobnęła kaczątko w kark.

– Zostaw je w spokoju. – powiedziała matka. – Nie robi nikomu nic złego.

– Tak, ale jest takie duże i tak dziwnie wygląda – powiedziała kaczka, która dziobnęła kaczątko – i dlatego trzeba je szturchać!

– Ładne masz dzieci, mateczko! – powiedziała kaczka z czerwonym gałgankiem na nodze. – Byłoby dobrze, gdybyś je mogła odmienić!

– To niemożliwe, łaskawa pani! – powiedziała matka-kaczka. – Nie jest wprawdzie ładne, ale ma dobre serduszko i umie świetnie pływać, tak samo jak inne, nawet może trochę lepiej. Przypuszczam, że wyrośnie z brzydoty albo z wiekiem zmaleje. Za długo leżało w jajku i dlatego nie wygląda tak, jak powinno wyglądać.

Skubnęła je w kark i pogładziła po piórach.

– To jest zresztą kaczor – dodała – i dlatego uroda nie będzie miała dla niego takiego znaczenia. Myślę, że będzie silny i że jakoś da sobie radę.

– Inne kaczątka są śliczne! – powiedziała stara. – Zachowujcie się tak, jakbyście były u siebie w domu, a jeżeli znajdziecie głowę węgorza, możecie mi ją przynieść.

I kaczęta zachowywały się tak jak u siebie w domu.

Ale zarówno kaczki, jak kury dziobały, potrącały, kopały i wyśmiewały biedne kaczątko, które ostatnie wykluło się z jajka i było takie brzydkie. – Za duże! – mówili wszyscy, a indyk, który urodził się z ostrogami i wyobrażał sobie z tego powodu, że jest cesarzem, napuszył się jak okręt o wydętych żaglach i zwrócił się w stronę kaczątka gulgocząc tak, że aż mu cała głowa poczerwieniała. Biedne kaczątko nie wiedziało, co ma począć ani dokąd pójść, martwiło się bardzo, że jest takie brzydkie i że jest pośmiewiskiem całego podwórka.

Tak było pierwszego dnia, a potem działo się coraz gorzej i gorzej. Wszyscy prześladowali biedne kaczątko, nawet rodzeństwo było bardzo niedobre dla niego.

– Żeby cię kot porwał, ty wstrętny potworze! – mówiły kaczęta.

A matka dodawała:

– Byłoby lepiej, żebyś sobie poszedł gdzieś daleko!

Kaczki je dziobały, kury szczypały, a dziewczyna,

która karmiła drób, kopała je nogami. Wreszcie kaczątko uciekło, przefrunęło przez płot, a małe ptaszki w krzakach uniosły się przerażone w górę.

„To dlatego, że jestem takie brzydkie" – pomyślało kaczątko i zamknęło oczy; ale biegło wciąż dalej, aż przyleciało nad wielkie bagno, gdzie mieszkały dzikie kaczki. Siedziało tam całą noc, bo było takie zmęczone i smutne.

Rankiem podniosły się do lotu dzikie kaczki i zaczęły przyglądać nowemu towarzyszowi.

– Coś ty za jeden? – spytały, a kaczątko kręciło się na wszystkie strony i witało wszystkich, jak tylko mogło najgrzeczniej.

– Jesteś strasznie brzydki! – mówiły kaczki. – Ale co to nas obchodzi, dopóki nie będziesz się chciał ożenić z kimś z naszej rodziny.

Biedne kaczątko! Naprawdę nie myślało o małżeństwie, gdyby mu tylko pozwolono leżeć w sitowiu i napić się trochę wody z moczarów!

Leżało tam całe dwa dni; potem przyleciały dwie dzikie gęsi, a raczej gąsiory, gdyż były to samce; niedawno wykluły się z jaj i dlatego były takie rezolutne.

– Słuchaj no, towarzyszu – mówiły – jesteś taki brzydki, że cię nawet polubiliśmy. Czy chcesz pociągnąć z nami i zostać wędrownym ptakiem? Tu w pobliżu, w innym bagnie, przebywa kilka uroczych, zachwycających gęsi, same młode panny, które potrafią mówić „kwa", może do nich będziesz miał szczęście mimo swojej brzydoty.

„Pif, paf" – rozległo się nagle nad nimi i obie dzikie gęsi padły martwe w sitowie, a woda zaczerwieniła się od ich krwi. „Pif, paf!!" – zabrzmiało znowu i całe stada dzikich gęsi wyleciały z sitowia, a potem znów słychać było strzały. Było to wielkie polowanie: myśliwi leżeli naokoło bagna, niektórzy siedzieli na gałęziach drzew; błękitny dymek unosił się jak obłoki pomiędzy ciemnymi drzewami i snuł się nad wodą; psy myśliwskie łaziły po błocie: plusk, plusk! Trzcina i sitowie gięły się na wszystkie strony. Jakiż lęk ogarnął biedne kaczątko! Kręciło głową, chcąc ją schować pod skrzydło, ale w tej samej chwili stanął obok niego strasznie wielki pies, z wywieszonym ozorem i błyszczącymi groźnie oczyma, dotknął pyskiem kaczątka, pokazał ostre zęby i – plusk – uciekł nie schwytawszy go.

– Ach, dzięki ci, Boże! – westchnęło kaczątko. – Jestem takie brzydkie, że nawet psy nie raczą mnie ugryźć.

I potem leżało zupełnie spokojnie, podczas gdy śrut gwizdał nad sitowiem, a wystrzał grzmiał po wystrzale.

Dopiero późno w dzień strzały uspokoiły się, ale biedne pisklę jeszcze długo nie odważyło się ruszyć, przeczekało jeszcze parę godzin i dopiero potem, rozejrzawszy się wokoło, wydostało się z bagna; biegło, jak tylko mogło najprędzej, polem i łąkami, dął silny wicher, z trudem więc mogło poruszać się naprzód.

Pod wieczór kaczątko zbliżyło się do ubogiej chatki; była to tak żałosna chatka, że sama nie wiedziała, na którą stronę ma upaść. Trzymała się więc jako tako.

Wicher gwizdał nad kaczątkiem tak, że musiało aż przysiąść na ogonie, aby się utrzymać na nogach; dęło coraz silniej i silniej; wtedy ujrzało kaczątko, że drzwi urwały się z jednej zawiasy i wisiały krzywo, tak że łatwo było się przemknąć przez szparę do środka. Brzydkie kaczątko tak też uczyniło. Mieszkała tam stara kobieta z kotem i kwoką; kot, którego nazywała synkiem, umiał wyginać grzbiet i sypać iskry, ale po to go trzeba było głaskać pod włos. Kwoka miała krótkie nóżki i dlatego przezywano ją krótkonóżką; składała dzielnie jajka i kobieta kochała ją jak własne dziecko.

Rano spostrzeżono obce kaczątko, kot zaczął miauczeć, a kwoka gdakać.

– Co to jest? – powiedziała stara i obejrzała się, ale miała słaby wzrok i dlatego zdawało jej się, że kaczątko jest tłustą kaczką, która się tu zabłąkała. – To dobry nabytek! – powiedziała. – O ile to nie jest kaczor, będę miała kacze jaja. Trzeba wypróbować!

I kaczątko zostało wystawione na trzytygodniową próbę, ale nie zniosło jaj. Kot był panem domu, a kwoka panią i mówili bez przerwy: „My i świat!". Gdyż myśleli, że byli połową, i to lepszą połową świata.

Kaczątko uważało, że można być innego zdania, ale kwoka tego nie znosiła.

– Czy umiesz znosić jaja?

– Nie!

– A więc przynajmniej stul buzię!

A kot powiedział:

– Czy umiesz się nastroszyć, miauczeć i sypać iskry?

– Nie!

– A więc zachowaj swoje zdanie dla siebie, kiedy rozsądni ludzie mówią!

Kaczątko siedziało w kącie i smuciło się. Wtedy myślało o świeżym powietrzu, o słońcu i poczuło gwałtowną chęć pływania po wodzie. Aż wreszcie nie mogło się powstrzymać, aby nie powiedzieć tego kwoce.

– Co ci przyszło do głowy? Nie masz nic do roboty i dlatego kaprysisz. Składaj jaja albo mrucz, to ci przejdzie.

– Ale pływać jest tak przyjemnie! – powiedziało kaczątko. – Tak rozkosznie jest zanurzyć się głową w wodzie i znaleźć się nagle na dnie!

– To ci dopiero przyjemność! – powiedziała kwoka. – Chyba oszalałeś? Spytaj kota, który jest najmądrzejszym stworzeniem, jakie znam, czy chciałby pływać w wodzie i dawać nurka?

– Nie rozumiecie mnie! – powiedziało kaczątko.

– No, jeżeli my cię nie rozumiemy, to kto cię zrozumie? Nigdy nie będziesz mądrzejszy od kota i od tej kobiety, o mnie już wcale nie mówię. Nie upieraj się tak, moje dziecko, i dziękuj Bogu za wszystko dobre, co dla ciebie uczyniono. Czyż nie dostałeś się do ciepłego pokoju? Czyż nie obracasz się wśród istot, od których możesz się czego nauczyć? Ale jesteś nieznośny i rozmowa z tobą nie jest przyjemnością. Możesz mi wierzyć, że ci dobrze życzę, mówię ci przykre rzeczy, a po tym właśnie poznaje się prawdziwych przyjaciół. Staraj się lepiej składać jajka i naucz się miauczeć lub sypać iskry.

– Myślę, że pójdę sobie w świat! – powiedziało kaczątko.

– No to idź – odrzekła kwoka.

I kaczątko poszło. Pływało po wodzie, nurkowało, ale nikt nie zwracał na nie uwagi, bo było takie brzydkie.

Nadeszła jesień, liście w lesie pożółkły i stały się brązowe, wiatr pędził je tak, że tańczyły w powietrzu; a powietrze było zimne; chmury zwisały brzemienne gradem i śniegiem, a na płocie siedział kruk i wołał „kra, kra!" z zimna. Już na samą myśl o tym można było porządnie zmarznąć. Biedne kaczątko bynajmniej nie czuło się dobrze.

Pewnego wieczoru słońce pięknie zaszło, a z krzaków wyfrunęła cała chmara cudnych, wielkich ptaków; kaczątko nigdy jeszcze nie widziało takich pięknych ptaków, były oślepiająco białe i miały długie, giętkie szyje; były to łabędzie. Wydawały dziwne dźwięki, rozpostarły wspaniałe, długie skrzydła i odleciały z zimnych okolic do ciepłych krajów, do otwartych mórz; wznosiły się tak wysoko, wysoko, że biednemu kaczątku zrobiło się jakoś dziwnie, kręciło się w wodzie, wyciągało do nich szyję wysoko w powietrzu i w końcu wydało głośny dźwięk, którego samo się przestraszyło. Ach, nie mogło zapomnieć o pięknych ptakach, o szczęśliwych ptakach i kiedy zniknęły mu one z oczu, zanurzyło się w wodzie, aż na dno, a kiedy wypłynęło, było jak nieprzytomne. Nie wiedziało wcale, jak się te ptaki nazywają ani dokąd lecą, a jednak kochało je, jak nikogo nigdy nie kochało; nie zazdrościło im wcale, jakżeż mogłoby marzyć, aby być tak piękne jak one; gdyby bodaj kaczki chciały je ścierpieć w swoim towarzystwie – biedne, brzydkie stworzonko!

A zima była taka mroźna! Kaczątko musiało się wciąż kręcić po wodzie, aby ją chronić od zamarznięcia, ale co noc otwór, w którym pływało, stawał się węższy, zamarzał tak, że aż trzeszczała lodowa powłoka; kaczątko musiało przebierać nogami, aby woda nie stanęła, aż w końcu zmęczyło się, znieruchomiało i przymarzło do lodu.

Wczesnym rankiem przyszedł jakiś wieśniak; zobaczył kaczątko, porozbijał drewniakami lód na kawałki i zabrał je do domu, do swojej żony. Tam je ocucono.

Dzieci chciały się z nim bawić, ale kaczątko myślało, że chcą mu zrobić coś złego, ze strachu wpadło do miski z mlekiem, tak że mleko rozlało się po izbie, kobieta krzyknęła, załamała ręce, a kaczątko pofrunęło do dzieży z masłem, a potem do beczki z mąką, z której zaraz wyleciało; jakżeż strasznie wyglądało! Kobieta krzyczała i biegała za nim z pogrzebaczem, a dzieci goniły je, potrącały się i krzyczały – na szczęście drzwi były otwarte i kaczątko wyfrunęło między krzaki i świeżo spadły śnieg – leżało tam ledwo żywe.

Ale byłoby to zbyt smutne opisywać wszystko, co wycierpiało biedne kaczątko w czasie ostrej zimy.

Kiedy słońce zaczęło na nowo grzać, leżało w bagnie pomiędzy sitowiem; skowronki śpiewały, była cudna wiosna.

Nagle rozwinęło do lotu skrzydła, które szumiały silniej niż przedtem i niosły je mocniej niż dawniej, i zanim się obejrzało, znajdowało się w dużym ogrodzie, gdzie kwitły jabłonie, gdzie kiście bzu pachniały i zwieszały się na długich, zielonych gałęziach ku wodnej powierzchni krętych kanałów. Ach, jakże tu było pięknie, jak świeżo, wiosennie! W tej samej chwili kaczątko ujrzało trzy cudne, białe łabędzie; zerwały się z zarośli i z szumem skrzydeł lekko popłynęły po wodzie. Kaczątko znało już te piękne stworzenia i na ich widok poczuło dziwny smutek.

„Chcę popłynąć do nich, do tych królewskich ptaków! Na pewno mnie zadziobią na śmierć, gdy ja, taki brzydal, odważę się do nich zbliżyć; ale nic to mnie nie obchodzi. Wolę, żeby mnie zabiły te ptaki, niż szczypały mnie kaczki, dziobały kury i kopała dziewczyna karmiąca ptactwo i żebym cierpiał w zimie". Sfrunęło na wodę i zaczęło płynąć ku wspaniałym łabędziom; zobaczyły je i szumiąc skrzydłami popłynęły mu naprzeciw.

– Zabijcie mnie! – zawołało biedne stworzenie i pochyliło głowę czekając na śmierć, ale cóż ujrzało w przezroczystej wodzie? Swój własny obraz, lecz jakże zmieniony! Nie było już niezgrabnym, czarno-szarym, brzydkim, odrażającym ptakiem, ale samo stało się łabędziem.

Nie zaszkodziło to nic łabędziowi, że urodził się na podwórzu wśród kaczek, skoro wykluł się z łabędziego jaja.

Jakże czuł się szczęśliwy po tych wszystkich cierpieniach i przeciwnościach losu, dopiero teraz potrafił ocenić swoje szczęście. A duże łabędzie pływały naokoło niego i gładziły go dziobami.

Do ogrodu przyszło kilkoro małych dzieci, które rzucały chleb i ziarnka do wody, najmniejsze z nich zawołało:

– Przybył nowy łabędź! – a inne dzieci wołały razem z nim: – Tak, zjawił się nowy! – i klaskały w ręce, i kręciły się w kółko, a potem pobiegły do swych rodziców i razem rzucali do wody chleb i ciastka, a wszyscy wołali:

– Ten nowy jest najładniejszy. Taki młody i piękny!

A stare łabędzie pochyliły przed nim głowy.

Wtedy ptak poczuł się zmieszany z radości: schował głowę pod skrzydła i sam nie wiedział, co się z nim dzieje; był zbyt szczęśliwy, ale wcale nie dumny, gdyż dobre serce nie bywa nigdy pyszne; myślał o tym, jak go prześladowano i wyszydzano, i słuchał, jak wszyscy teraz mówili, że jest najpiękniejszym ze wszystkich pięknych ptaków. Bzy pochylały swe gałęzie nad powierzchnią wody, a słońce grzało mocno i rozkosznie; wtedy zaszumiały skrzydła młodego łabędzia, podniosła się smukła jego szyja i zawołał z głębi serca:

– Nawet nie marzyłem o takim szczęściu wówczas, kiedy byłem tylko brzydkim kaczątkiem!

POSŁOWIE

Bajki – wspomnieniem dzieciństwa

Któż z nas nie zachował w pamięci obrazu sprzed kilku, kilkunastu, a może kilkudziesięciu lat, gdy jako dziecko siedział na kolanach Mamy, Babci albo Dziadka zatopiony w przedziwne opowieści, których słuchał z zapartym tchem i wypiekami na twarzy. Te bajki i wierszyki nieodłącznie kojarzą się nam z latami dzieciństwa i ciepłem rodzinnego ogniska. Są symbolem świata pogodnego, szczęśliwego, bezpiecznego. Przywołując czasy sielskiego dzieciństwa są także pamiątką po ludziach, po których dziś może pozostał już tylko wiersz.

Przypuszcza się, że jest to gatunek tak stary jak życie człowieka na ziemi. Grecy literacką formę bajki przypisywali Ezopowi (VI w. p.n.e.), niewolnikowi frygijskiemu, bo to on wpadł na pomysł, aby niewygodne prawdy mówić swoim panom nie wprost, ale za pomocą alegorii, wykorzystującej postacie zwierzęce. Istnieją też teorie uznające Indie za kolebkę tego gatunku. Klasycznym przykładem opowieści wschodnich są utrwalone w kulturze arabskiej *Baśnie z tysiąca i jednej nocy*. Już te dwa źródła wskazują na podstawowe rozróżnienie w obrębie gatunku na bajkę i baśń.

Bajka to zazwyczaj krótki utwór wierszowany, zawierający morał czyli myśl pouczającą. Do wypowiedzenia nauk moralnych służą autorowi wykorzystywane w utworach postaci zwierząt. To przy ich pomocy piętnuje się wady ludzkie takie jak przebiegłość, chytrość, płochliwość, głupotę i inne. Bajki ezopowe w literaturze polskiej spopularyzował Biernat z Lublina na początku XVI w. Po ten wzorzec sięgali też Jean de La Fontaine (bajka francuska), Iwan Kryłow (bajka rosyjska) oraz Ignacy Krasicki, Stanisław Trembecki, Adam Mickiewicz. W niniejszej antologii, w cyklu „Opowiem ci bajkę" przywołuje się najpopularniejsze przykłady tego gatunku. Dydaktyczny charakter bajek wykorzystywali chętnie i często poeci oświecenia, ale również romantycy sięgali po tę formę, dostrzegając ludowy rodowód opowieści o rusałkach, zjawach, chochlikach (Słowacki *Balladyna*). Aleksander Fredro wyeksponował przede wszystkim komizm bajki. Dowodem *Paweł i Gaweł*. Nurt bajki humorystycznej, traktowanej jako zabawa sytuacyjna rozwinął Julian Tuwim. Jego *Lokomotywa* jest także przykładem dowcipu językowego.

Ale opowieści z dzieciństwa to również utwory anonimowych autorów, uczone „na pamięć" wierszyki o kotku, żabce, która szła po wodę i nieskomplikowane rymowanki-zabawy, „jak kosi, kosi, łapki". To one są pierwszymi wierszykami, które dziecko poznaje, one też otwierają cykl. Tradycję tego typu poezji dla dzieci zawdzięczamy Stanisławowi Jachowiczowi. On to wydał w 1824 roku oryginalny tom dla najmłodszych pt. *Bajki i powieści*. Jego utwory, zamieszczone w zbiorze dokumentują zjawisko.

W drugiej części zgromadzono baśnie. Zasadniczy kanon baśni ukształtował się w średniowieczu. Obserwuje się wówczas wzajemne przenikanie motywów indyjskich i arabskich (opowieści o księżniczce Szeherezadzie, żeglarzu Sindbadzie) z treściami mitologicznymi – greckimi i rzymskimi oraz rodzimą tradycją europejską. Najpopularniejszy zbiór baśni europejskich opracował członek Akademii Francuskiej – Charles Perrault. W 1697 roku opublikował *Historie, czyli baśnie z przeszłości z morałem*, opatrzone podtytułem *Baśnie Mamy Gęsi*. Odtąd na całym świecie czytano o *Śpiącej królewnie, Kocie w butach, Czerwonym Kapturku, Tomciu Paluchu*. Prawdziwe odkrycie ludowych opowieści zawdzięcza się niemieckim literaturoznawcom – Jakubowi i Wilhelmowi Grimmom. Bracia Grimm zebrali wiejskie przysłowia, podania, legendy i artystycznie je opracowali. Ich dzieło *Baśnie dziecięce i domowe*, wydane w 1812 roku, było przekładane na wiele języków świata i doczekało się licznych rodzimych przeróbek. Równie znany i wysoko ceniony przez najmłodszych czytelników jest zbiór baśni przygotowany przez Jana Christiana Andersena z Danii. W niniejszej antologii zamieszczamy najpopularniejsze opracowania powyższych autorów.

W Polsce, ludowe podania i legendy zbierali Zorian Dołęga Chodakowski (właśc. Adam Czarnocki), Oskar Kolberg, Józef Lompa, Roman Zmorski, Ryszard Berwiński, Lucjan Siemieński. Kazimierz Władysław Wójcicki wydał w Warszawie w 1837 roku *Klechdy, starożytne podania i powieści ludu polskiego i Rusi*. Znany był też *Bajarz polski* Józefa Antoniego Glińskiego. Baśnie i opowieści ludowe stały się źródłem inspiracji dla takich twórców jak Henryk Sienkiewicz *(Sabałowa bajka)*, Adolf Dygasiński *(Cudowne bajki)*, Jan Kasprowicz *(Bajki klechdy i baśnie)*, Kazimierz Przerwa-Tetmajer *(Na skalnym Podhalu* oraz *Bajeczny świat Tatr)*, Bolesław Leśmian *(Klechdy polskie)*, Kornel Makuszyński *(Bardzo dziwne bajki)*.

Bajki i baśnie to utwory o treści fantastycznej, przepełnione cudownością, wynikającą z wierzeń w magiczną moc dobra. Baśniowi bohaterowie rządzą się specyficznymi prawami moralnymi. Wiedzą, że kłamstwo zawsze wyjdzie na jaw, zbrodnia zostanie ukarana, zło i krzywdę trzeba będzie naprawić, a poczynione dobro zostanie wynagrodzone. Nawet w bajce na ludzi czyhają pokusy, człowiek zostaje wystawiony na ciężkie nieraz próby. Ponieważ nic nie przychodzi łatwo, również baśniowi bohaterowie muszą walczyć z wrogami i przeciwnościami losu. Ale uczciwość, szlachetność zawsze zostaje nagrodzona. W utworach tych obecny jest zasadniczy element ludowego światopoglądu – wiara w ingerencję sił nadprzyrodzonych. Ten baśniowy kodeks etyczny i wartości, które się eksponuje są wyrazem ponadczasowej tęsknoty ludzkości, człowieka wszystkich czasów, do ładu, porządku, harmonii i piękna. Zdarzenia w bajce i baśni mają zawsze szczęśliwe zakończenie. Takie przekonanie o finale ludzkich trudów jest także potrzebne i w dorosłym życiu. O ileż łatwiej byłoby żyć na świecie, gdyby dorosłość nie zabiła w nas dziecięcej wiary, że dobro zawsze zwycięża i że nie ma winy bez kary. Wówczas bajkowa rzeczywistość stałaby się faktem. Może ten ideał uda się osiągnąć przyszłym pokoleniom. Aby do tego doszło, potrzebny jest powrót w krainę dzieciństwa. Będzie to możliwe przy okazji tego tomu, pomyślanego jako wspólna lektura – rodziców i dzieci.

Anna Skoczek